監修　京都国立博物館

トラりんと学ぶ
日本の美術②
神仏への祈り

淡交社

はじめに

京都国立博物館（通称：京博《きょうはく》）のPR大使・トラりんは、江戸時代の絵師・尾形光琳《おがたこうりん》（１６５８～１７１６）によって水墨画で描かれた「竹虎図《たけとらず》」（京都国立博物館蔵）から誕生しました！　好奇心旺盛《こうきしんおうせい》なトラりんは、京博の魅力を発信するために今日も日本の美術を学びます。

「竹虎図」
尾形光琳筆
江戸時代（18世紀）
縦28.0㎝　横38.7㎝

４巻シリーズの『トラりんと学ぶ日本の美術』第２巻のテーマは「神仏への祈り」。神さまへ奉納された神宝、仏教を広めるために生まれた仏像や仏画、仏典など、人びとの信仰によってさまざまな美術が生み出されてきました。「難しそう……」と思われる宗教美術の楽しみ方を、トラりんといっしょに研究員たちに教えてもらいましょう。

また巻末では、京博付属の文化財保存修理所について特集します。文化財を守る人びとの仕事を学ぶと、作品をみるときの心がまえが変わってくるかもしれません。

さぁ、トラりんといっしょに、日本の美術を学びに行きましょう！

目次

装丁・デザイン／三上照正（キャスト・アンド・ディレクションズ）

所蔵先を表記していない作品は全て
京都国立博物館の所蔵品です。

1章

神のために誂える

神さまの暮らしは人間と同じ?!

トラりん（以下） こんにちリン！ トラりんだリン！ ボクは京都国立博物館のPR大使として、京都国立博物館と文化財の魅力を伝えるべくがんばっているリン☆ そのためにも、京都国立博物館にあるたくさんの美術作品について学んでいるところなんだけど、今日はどんな作品を楽しもうかなぁ。

山川研究員（以下 山川） トラりん、元気？

あ、山川研究員！ いいところで会えたリン。1巻では平安時代の天皇や貴族たちの装束《しょうぞく》について教えてくれてありがとリン♪ あれからいろいろな絵を見るのが楽しくなったリン♪

山川 お役にたててよかった。トラりんが日本の美術について興味をもってくれるなら、

他にもいろいろ聞いてほしいなぁ。

ホントに？（キラキラ☆）

山川　もちろん！　そうだ、京都にたくさんある神社には神さまがいらっしゃることは知ってるよね。

知っているリン！

山川　大きな神社では、その神さまたちに装束や身のまわりのものが奉納《ほうのう》されているんだよ。その品々は「神宝《しんぽう》」と呼ばれているんだ。縁《えん》あって、京都国立博物館には和歌山県に鎮座《ちんざ》する阿須賀《あすか》神社の神宝が収蔵されているんだよ。

京博に和歌山の神社の宝物が?!

山川　世界遺産にも登録されている熊野三山《くまのさんざん》のひとつに熊野速玉大社《くまのはやたまたいしゃ》という神社があるんだけれど、阿須賀神社はそこに縁《ゆかり》の深い神社として、とても大切にされてきたの。

でね、阿須賀神社の神さまは事解男命《ことさかのおのみこと》という男性の神さまだから、小葵文様袍《こあおいもんようほう》や石帯《せきたい》、冠《かんむり》のように、当時の貴族の男性が着るような装束が誂《あつら》えられているんだ。

人間と同じものということ？

山川　すこし大きめだけれど、サイズ以外は人間と同じものだよ。『古事記《こじき》』に載《の》る神話の中の神さまは人間的に描かれているよね。私たちのご先祖さまは、「神さまは自分たちと同じような服装をして、同じような生活をしている」と考えていたんだね。装束の他に、衾《ふすま》（かけ布団）や手箱といった調度品《ちょうどひん》もあるんだ。

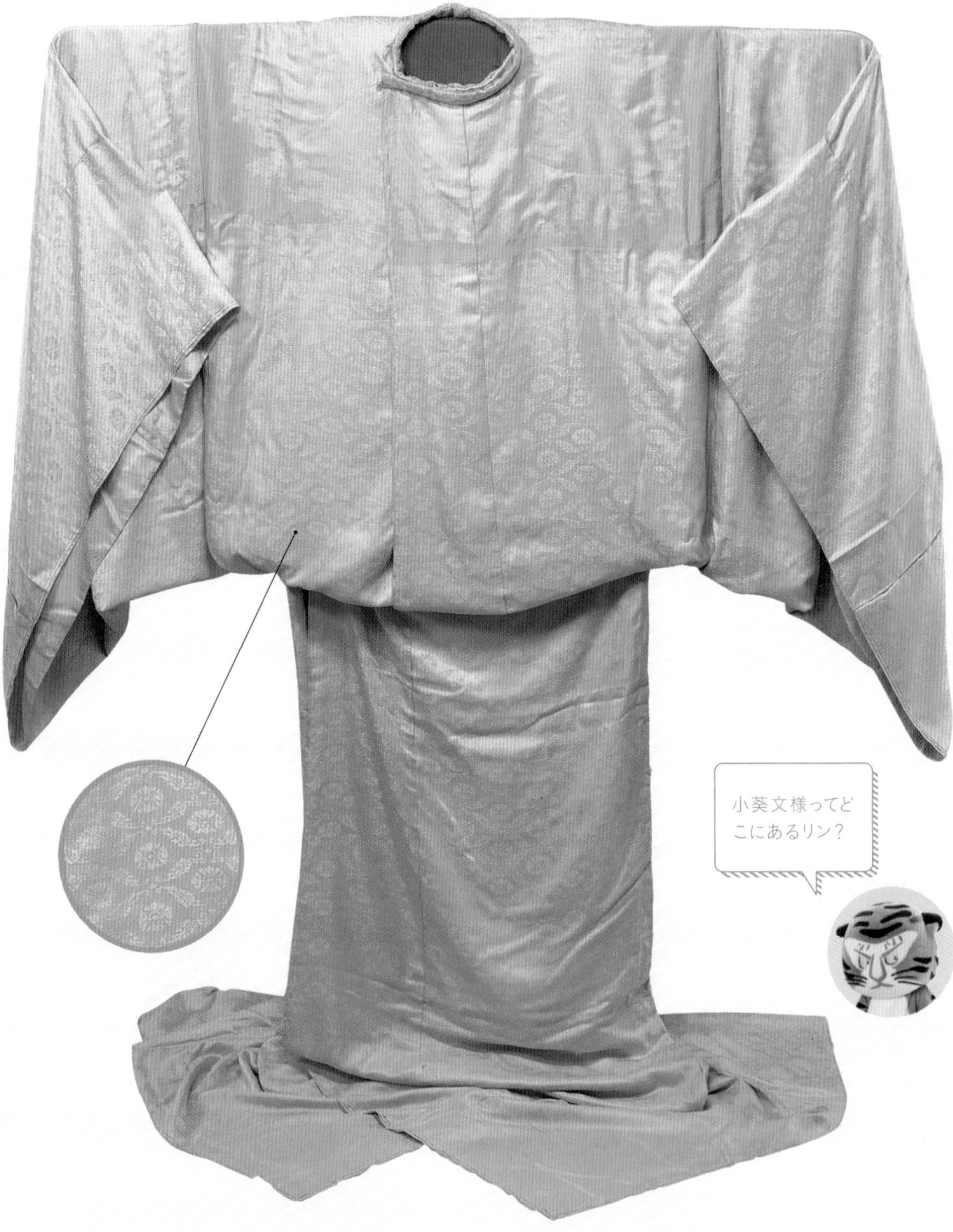

国宝「小葵紋様袍」(阿須賀神社伝来古神宝のうち)　南北朝時代
前丈299.3cm　後丈250.1cm　桁120.0cm

小葵文様袍《こあおいもんようほう》

よ～く見て！　全体に菱形の中央に花を置いたような連続文様が織り出されているよ。

神宝

なんだか、神さまが身近な存在に感じるリン！

山川　そうだね。しかも、神さま用のつけ毛もあるんだよ（笑）。

つけ毛?!　男の神さまも?!

山川　女神さま用だよ。阿須賀神社の神宝は、一時期、熊野速玉大社で保管されていたんだ。熊野速玉大社には女神さまもまつられているから、その時に混ざってしまったんだと思うよ。当時の美人の大切な条件のひとつは、黒くて長い髪。女性たちは普通につけ毛（義《ぎ》髻《けい》）を使っていたから、女神さまには欠かせないと思って用意したんだろうね。ちなみに、実際に人間の髪の毛で作られているんだよ。

そうなんだ……！　ボクも髪の毛伸ばしてみようかな。似合うと思う？

山川　トラりんは今の毛なみがお似合いだよ。でも、当時も今も、きれいになりたいっていう気持ちは同じだね。むかしのひとになんだか親しみがわくなぁ。

国宝「義髻」(阿須賀神社伝来古神宝のうち)
南北朝時代
長142.0cm

国宝「冠」(阿須賀神社伝来古神宝のうち)
南北朝時代
高18.0cm

国宝「石帯」(阿須賀神社伝来古神宝のうち)
南北朝時代
本帯長87.2cm　上手長86.7cm

神さまも人間と
同じ服を作って
もらったんだリン☆

⛩ 技術の粋《すい》を込めて誂えられたからこそのクオリティ

山川　ちなみに、神宝はどこで作られたと思う？

どこだろう……。神社の近所で作られたんじゃないの？

山川　たぶん違うよ。これらの神宝はすべて京都で作られたと考えられているんだよ。ハイクオリティーなものを誂えようと思ったらむかしは京都しか選択肢がなかったの。しかも、どれも、有職《ゆうそく》（儀式などに関する知識）を理解する人びとによって、当時の最高の技術で作られていて、莫大《ばくだい》な金額が費《つい》やされているんだ。

神さまに奉納するものだから最高のものを！　と思ったんだね☆

山川　阿須賀神社に神宝を奉納したのは、金閣を造営《ぞうえい》したことでも有名な室町幕府の三代将軍足利義満《あしかがよしみつ》を中心に、天皇や上皇、守護大名たち。彼らが財力や地位に応じて、役割を分担して神宝を誂えたんだよ。ちなみに、この時には阿須賀神社だけでなく、熊野速玉大社の神々にも神宝が奉納されていて、いまでも１０００点以上が伝えられているんだよ。

ものすごくお金と手間と時間がかかる大プロジェクトだリン！

山川　そうだね。神道《しんとう》には「ご祭神《さいじん》の住まいや持ちものを一新することによって、ご祭神が生命力を新たにし、その再生した活力によって人びとを災害や病気から救う」という思想があるんだ。そうした祈りや神さまに対する篤《あつ》い信仰があるからこそ、ハイクオリティーなものを誂えてお納めしたんだね。それはね、装束を納める箱からもうかがえるんだよ。箱に関しては永島研究員が詳しいから、聞いてみようか。

そうしてみる☆　山川研究員、ありがとリン♪

収納する箱まで豪華《ごうか》

永島研究員（以下 永島）　それじゃあ、阿須賀神社の神宝の中の漆工芸品《しっこうげいひん》について紹介するね。

よろしくリン♪（わくわく☆）

永島　山川研究員に紹介してもらったように、阿須賀神社の神宝には装束に関するものがさまざまあるんだけど、それぞれを仕舞っておく箱があるんだ。それは、当時の貴族たちの暮らしに関係しているんだよ。

んんん？　どういうこと？

永島　平安時代もそうだけど、貴族たちの生活空間には現代のような常設の箪笥《たんす》やクローゼットがなかったんだ。寝たり、食べたり、勉強したり、というその時々に必要なものを収納箱から出して使い、使い終わったらまた箱に仕舞って片付ける、という生活だったんだ。

それじゃあ、それぞれに、収納するための箱があったということなんだね☆

永島　そうだよ。冠を入れるための箱もあれば、笏《しゃく》を入れるための箱もある。挿鞋《そうかい》と呼ばれる沓《くつ》（靴）を入れる箱まであるよ。阿須賀神社の神宝の場合、そのいずれもが蒔絵《まきえ》で装《そう》飾《しょく》されているんだよ。

収納するための箱も豪華なの?!

永島　そういうこと。それでね、中でも豪華なのが「松椿蒔絵手箱」という箱で、化粧《けしょう》用の道具一式が納められているんだ。

化粧道具？　さっき山川研究員が阿須賀神社の神さまは男性だって言ってたけど……

永島　その通り、阿須賀神社の神さまは男性なんだけど、平安時代の貴族の男性はお化粧をしていてね、この神宝が奉納された南北朝時代（14世紀）もその習慣が残っていたんだ。

平安時代の貴族はおしゃれだリン☆

国宝「松椿蒔絵手箱」（阿須賀神社伝来古神宝のうち）
南北朝時代
縦26.0cm　横34.6cm　高23.0cm

松椿蒔絵手箱《まつつばきまきえてばこ》

トラりんのお顔用ならこれくらいの大きさがいるかもね!?

豪華できれいな箱だリン♪

永島　現在でもスキンケアをしたり、ヘアスタイルを気にする男性はいるよね。それに、化粧道具が神宝になっているのは阿須賀神社だけじゃなくて、他の神社でも見られるんだよ。「神さまも人間と同じ服装をするように、神さまもお化粧するのが普通だ」という考えだったんだね。

神さまも毛抜きや耳掻きを使っていた

そうなのかぁ☆　お化粧道具にはどんなものがあるの？

永島　まずはお香を入れる薫物《たきもの》箱。そして歯を黒く染める材料を入れる歯黒《はぐろ》箱と顔を白くするための白粉《おしろい》の箱。いわゆる化粧品を入れておく容器ね。そしてその化粧品を小分けして使うための銀製の菊花《きっか》形皿と白磁《はくじ》製の皿があるよ。

松椿蒔絵手箱の内容品

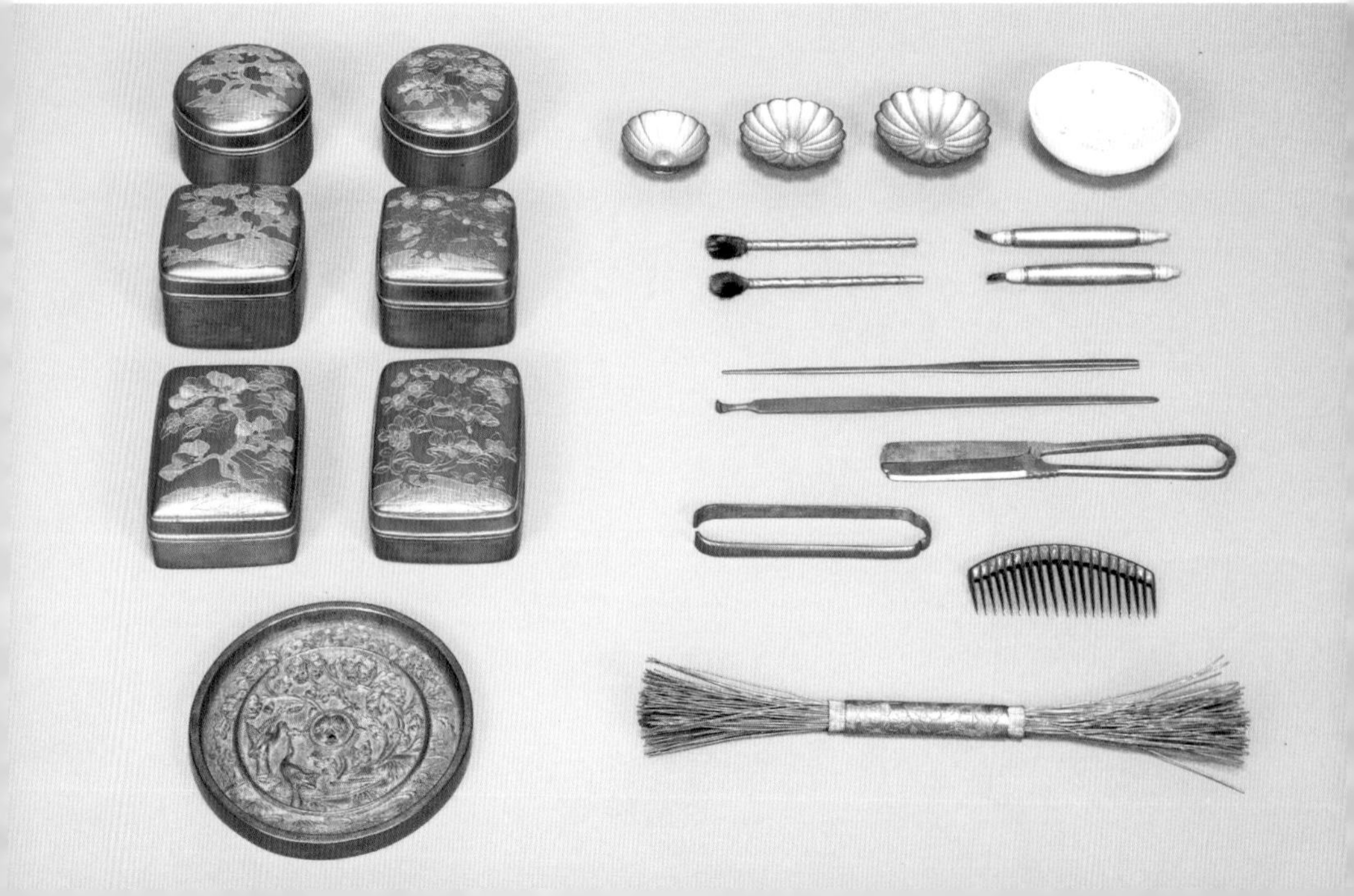

それと眉《まゆ》を描くための眉作り、鋏《はさみ》、鑷《けぬき》、歯黒筆、耳搔《みみかき》、髪搔《かみかき》、解櫛《ときぐし》、櫛払《くしはらい》、白銅《はくどう》鏡、櫛《くし》も揃《そろ》っているんだ。

たくさんあるね！　耳搔きまであるリン☆

永島　櫛なんて、ぱっと見たところ板にしか見えないくらい目が詰まったものが29枚もあるんだよ。ちなみに当時の貴族は髪を洗わないで、髪の汚れをこの目の詰まった櫛でけずるようにして取っていたんだ。だから、消耗《しょうもう》品としてたくさん必要だったんだね。

そうなんだ！　清潔《せいけつ》にしようとしたんだね☆

永島　そういうことだね☆　櫛にも専用のきれいな箱があるんだけれど、この化粧道具一式が納められている手箱本体は最高の技術を込めて丹精に作られているんだよ。全体に金粉《きんぷん》が蒔《ま》かれ、金高蒔絵《きんたかまきえ》や研出《とぎだし》蒔絵といった金や銀を使ったさまざまな蒔絵技法を駆使《くし》して豪華に土坡《どは》（小高い地面）に伸びる松と椿が描かれているよ。松や椿は冬場でも青々としている常緑《じょうりょく》の植物だから、そうした生命力をもった阿須賀神社の神さまにふさわしい文様だと思われたのかもしれないね。

とってもきれいだね♪　キラキラしているリン☆　こんなにきれいなものだったら神さまもきっと喜んだはずだリン！　神宝には神さまへの想いがたくさん詰まっていることがわかったリン！　永島研究員、ありがとリン♪

Q1 神宝ってどんなもの？

神宝とは、神社の本殿《ほんでん》の内陣《ないじん》などに納められる、祭神のために奉納された装束類や調度品、武具などのことで、その神社を信仰する人々が誂えて納めたものです。

神は穢《けが》れを厭《いと》い、蘇《よみがえ》りを繰り返すとされる神道では、伊勢神宮《いせじんぐう》に代表されるように、定期的に式年遷宮《しきねんせんぐう》が行われます。その際に、本来であれば、建物とともに装束や調度品も新しく作り変えるものでした。古くなった神宝は「古神宝《こしんぽう》」と呼ばれ、基本的には地中に埋めるなどして撤下《てっか》されますが、縁の深い摂社《せっしゃ》・末社《まっしゃ》、社家《しゃけ》や氏子《うじこ》などへ譲《ゆず》られる場合もありました。

阿須賀神社以外にも、伊勢神宮や鎌倉の鶴《つるが》岡八幡宮《おかはちまんぐう》、静岡県・三島の三嶋大社《みしまたいしゃ》など、全国の神社に貴重な神宝が保存されています。

「金」の「帛（生地）」と書く錦は高価な織物。

国宝「錦包插鞋」（阿須賀神社伝来古神宝のうち）　南北朝時代

Q2 神宝ってどの神社も同じなの？

身にまとう装束や手回りの調度で構成されているという点では同じですが、神社の格や、そこに鎮《しず》まっておられる神さまの格、男女の性別やそれぞれの神さまの性格や個性によって、納められる品は少しずつ異なります。

　準備に携わった人びとは、そうした要素を考慮《こうりょ》し、それ以前に奉納された神宝を参照しながら、当時の最高の素材や技術を惜《お》しみなくつぎ込んで準備しました。

　また、男性の神さまの場合は、刀剣や弓矢といった武具などが誂えられる場合があり、女性の神さまの場合は、製糸《せいし》や機織《はたおり》用の道具、義髻《ぎけい》（つけ毛）などが添えられたりしています。

松と竹が描かれているリン。

裏側には松原と海に浮かぶ船が描かれているよ。

国宝「彩絵檜扇」（阿須賀神社伝来古神宝のうち）　南北朝時代　長40.3cm

窠に霰文様表袴《かにあられもんよううえのはかま》

表袴は、公家《くげ》男子の最もフォーマルな装束である束帯《そくたい》の折に着ける袴。股下《またした》に返り襠《まち》という帯状の襠をつけるのが特徴。身分や年齢に応じて浮《うき》織物《おりもの》や固地綾《かたじあや》など地質が区別された。本作は、経《たて》糸に紫、緯《よこ》糸に白を用いて霰地《あられじ》（細かな石畳の地文様）とし、さらに別の色糸で上文として窠文を織り出した多彩な二倍《ふたえ》織物《おりもの》。

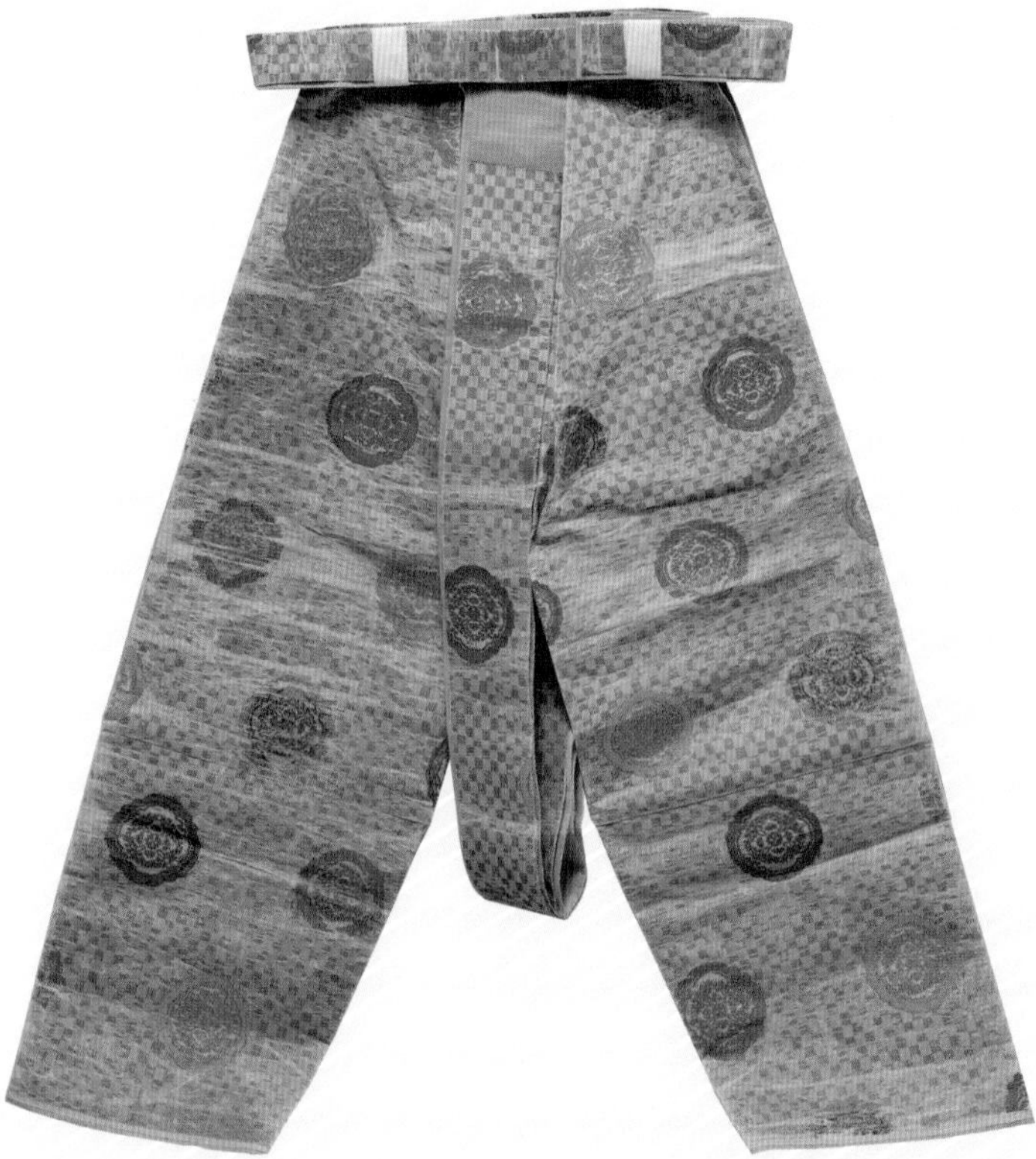

国宝「窠に霰文様表袴」（阿須賀神社伝来古神宝のうち）　南北朝時代
丈131.8cm　腰幅52.7cm

海賦文様裳《かいぶもんようも》

女神用として誂えられた裳《も》（女房《にょうぼう》装束を構成する着物のひとつ）とされているが、通例とは異なり長袴風の形状をとる。おだやかな曲線の洲浜《すはま》に松や水鳥など水辺の風景を描いた海賦文様は、平安時代以来、裳に描かれた伝統的なモチーフ。洲浜、松ともに吉祥《きっしょう》的な意味をもち、神へ捧げるのにふさわしい文様である。

国宝「海賦文様裳」（阿須賀神社伝来古神宝のうち）　南北朝時代
長159.0cm　腰巾47.5cm

国宝「石帯袋」(阿須賀神社伝来古神宝のうち)
南北朝時代
深16.1cm

石帯袋《せきたいぶくろ》

公家男子の正装である束帯を締めるための石帯を入れる袋。袷《あわせ》仕立てで、表地は、紅地に萌葱《もえぎ》・黄・白の緯糸で小さな鶴丸文を互《ぐ》の目《め》に織り出した錦《にしき》、裏地は黄地に八つ藤文様をあらわした綾が用いられている。補強と装飾を兼ね、組紐の上差《うわざ》しが施されている。

2章

仏像と祈り

仏像のはじまりは仏教の開祖・お釈迦さま

トラりん　日本では、むかしから神さまを信仰していることがよくわかったリン☆あれれ？　そういえば、お寺でもみんな拝んでいるけど、どうしてなの……？

浅湫《あさぬま》研究員（以下 浅湫）　やあ、トラりん！　その疑問に応えよう！　拝む先には仏さまがいるんだよ。

浅湫研究員‼　教えて教えて〜〜！　ホトケサマってなに？

浅湫　仏さまは仏像《ぶつぞう》という呼ばれ方をすることもあるんだけど、トラりん、仏像ってどんなものか知ってる？

う〜ん、拝んでいるひとも多いし、神さまみたいな存在？

浅湫　おお！　さすがトラりん。おしいけど、神さまとは少しちがうんだ。仏像はインドではじまった「仏教」という宗教の祈りの対象として生み出されたんだ。

インド⁉　仏教ってなに⁇

浅湫　２５００年くらい前の紀元前5世紀頃にインドのお釈迦《しゃか》さまという人が開いたんだ。「生きている中で苦しいことがあっても、どうしたらみんなが幸せになれるのか」という考えに基《もと》づいて、教えを説いたんだよ。その教えが後に仏教になるんだ。お釈迦さまが生きているうちは仏像のような「形」があるものを崇拝《すうはい》してはいけないって決まりがあって、その考えはお釈迦さまが亡くなった後５００年以上も根強く残っていたんだ。

お祈りする対象がないころは、どうやって信仰していたの？

浅湫　お釈迦さまのすがたを形にしてはいけないってことだから、足跡とか、出家したときに剃《そ》った髪の毛とか、お釈迦さまに関係するものをシンボル化して大切にしていたんだよ。

そして、「お釈迦さまが悟《さと》りを開く前の王子さまの頃のすがたなら表現してもいいんじゃない？」って考えが出てきて、いよいよ一世紀には、お釈迦さまのすがたをあらわした仏像がつくられるようになったんだ。

石造如来頭部
パキスタン ガンダーラ　2〜3世紀
総高31.6cm　石造

仏像づくりは国家の一大プロジェクトだった

インドでつくられはじめたのに、どうして日本にもあるの⁇

淺湫　仏教や仏像はインドから中国、朝鮮、日本……とアジアを中心に広まっていったんだ。日本へは6世紀に入ってきて、当時の朝廷や権力者にも支持《しじ》されたんだ。

ふむふむ☆　じゃあ政治にも影響を与えたってこと？

淺湫　その通り。奈良時代には戦乱や疫病《えきびょう》など、社会的に不安な要素が強まってきたんだ。困った聖武《しょうむ》天皇は仏教の力で国を安定させようと考えて「大きな大仏をつくります！」という宣言（詔《みことのり》）まで出したこともあったんだよ。その結果、東大寺の大仏がつくられたんだ。

日本で一番えらいひとが勧《すす》めるってすごいことだリン！　日本中の人びとが「仏像をつくるぞー！」ってなりそうだリン☆

淺湫　さすがトラりん、目のつけどころが鋭《するど》い！　でも、当時は朝廷や貴族など、経済力のあるひとしか仏像をつくることはできなかったんだよ。現世の不安や来世への願い、やがて来る末法《まっぽう》の世への不安などから、「仏に対して善《よ》い行い（功徳《くどく》）をたくさんすればするほど、確実に願いが叶《かな》う」という考え方が広まっていたこともあって、一部のお金持ちは仏像を大量につくるようになるんだ。また、庶民も「皆でお金を出しあってひとつの仏像をつくる」というようなこともあったようだよ。

なるほど！　だから日本にはお寺や仏像がたくさんあるんだね☆　でも仏像にはいろいろな種類があるよね？　みんなちがう顔だから覚えきれないリン！

淺湫　そうだよね。仏像は仏教の教えや世界観を分かりやすく伝えるためのもの。さまざまな容姿《ようし》をしているけど、仏像の魅力は何といってもその造形。それぞれのファッションや表情、髪型などの特徴を捉《とら》えると、その仏像に込められた人びとの想いも見えてくるよ。

仏像のファッションに注目だリン♪

どこに注目したらいいかなぁ？

浅湫　日本には数え切れないほどたくさんの仏像があるけれど、ここでは大きく「如来《にょらい》」「菩薩《ぼさつ》」「明王《みょうおう》」「天《てん》」の4つにわけて説明するね。

「如来《にょらい》」は仏像の中のトップ

浅湫　最初につくられたのはお釈迦さまが悟ったすがたをあらわした釈迦如来という仏像なんだ。「釈迦」というのは本当は一族の名前で、その一番偉い人だから「お釈迦さま」というんだ。やがてお釈迦さまだけでなく、阿弥陀《あみだ》や薬師《やくし》といった如来も生み出されたんだ。左のページの仏像を見てごらん。

ピカピカで美しいリン！　髪の毛はつぶつぶしているね☆……おでこには……ホクロ？

浅湫　一つひとつにちゃんと意味があるんだよ。全身の金色は光かがやくすがたをあらわしているよ。髪の毛のつぶつぶは螺髪《らほつ》といって長い毛が巻貝のように巻かれているよ。頭のてっぺんの盛り上がっている部分は肉髻《にくけい》といって智恵をあらわしていて、頭の肉が盛り上がっているんだ。額《ひたい》にあるホクロみたいなものは白毫《びゃくごう》といって、３メートル以上もあるとされる一本の長い毛がグルグル巻き込まれているんだ。ここから光を放って世界を明るくするという意味が込められているよ。

すごいリン！　ボクの体にも意味があるのかなぁ☆　すごくシンプルな服装をしているのはどうして？

浅湫　出家をして悟りを得た後のすがただから、粗末《そまつ》な衣一枚という質素な格好なんだ。阿弥陀如来は西の天国にいる仏さまで、この像では坐《すわ》って足を組んでいるけれど、立っていたり、片足を出して歩いているすがたのものもあるよ。「早く天国へ迎えに来てほしい」「早く願いを叶えてほしい」という人びとの気持ちがあらわれているんだ。

阿弥陀如来坐像《あみだにょらいざぞう》

阿弥陀如来坐像　平安時代後期(11世紀)　像高152.5cm　木造漆箔・彩色

千手観音香合仏《せんじゅかんのんこうごうぶつ》

千手観音香合仏　平安～鎌倉時代（12世紀）
径8.9cm　木造素地

「菩薩《ぼさつ》」は如来になるべく修行中

浅湫　菩薩は悟りに達する前の修行をしているお釈迦さまをあらわしているんだ。出家する前の王子さま時代のお釈迦さまをモデルにしているから、貴族らしく煌《きら》びやかでアクセサリーをたくさん身につけているよ。
また、菩薩は如来を補佐する役目も担っているから、如来の隣に脇侍《きょうじ》として並んでいることもよくあるんだ。

如来に比べて華奢《きゃしゃ》な印象だリン！　女の人なのかな？

浅湫　仏教が広まっていくあいだにそれぞれの地域の人たちに親しまれるような要素がプラスされていって、仏像の種類やすがたがどんどん変化したよ。お釈迦さまは男性だったから、基本的に仏像は男性の姿をモデルにしているけど、菩薩は中国では女性的なイメージをもたれていたから、細身でしなやかな造形になったんだと思うよ。

よく見たら手や顔がたくさんあるリン！

浅湫　「千」は無限という意味で、「あらゆる願いを叶えますよ」っていうことなんだ。手には本来、宝珠《ほうじゅ》や蓮華《れんげ》、数珠《じゅず》などいろいろな持物《じもつ》を持っていて、いろいろな方法で救ってくれることがわかるよ。
また、頭の上の小さな顔は穏《おだ》やかな顔もあれば怒っていたり、歯を見せて大笑いしている顔もあるんだ。

大笑い！　見つけたリン♪　すべてに意味があるんだね☆

「明王《みょうおう》」は怒りで言うことをきかせる

浅湫　続いてはこれだよ。

こ、こわいリン〜〜〜！（震）どうして怒っているの……？

浅湫　ははは。こわいと思ってくれてよかった。怒っているのは、如来（大日《だいにち》如来）の代わりに、教えを守ろうとしない人を懲《こ》らしめるためなんだ。これが明王の役割ね。怒ってはいるけど、人びとを救おうとする気持ちは他の仏像と同じだから安心してね。言うことをきかない子どもを、お父さんが怒るようだね。

明王が生まれた背景として、平安時代はじめにもたらされた密教《みっきょう》という教えが関係するよ。文字通り〝秘密の教え〟とされて口伝《くでん》で信仰されたんだ。

密教はインドの神さまのすがたを取り入れたから、さまざまな種類の仏像が生まれるようになったんだよ。

不動明王立像《ふどうみょうおうりゅうぞう》

「羂索《けんさく》」という縄でね、煩悩《ぼんのう》を縛るんだ。

左手は何をもっているの？

不動明王立像
平安時代後期（12世紀）
像高79.7cm　木造彩色

「天《てん》」はみんなの
ボディーガード

淺湫　最後にこれを見て！

すごい迫力《はくりょく》だリン!!　ムキムキでかっこいいリン！

淺湫　すごく力強いでしょ。金剛力《こんごうりき》士《し》像《ぞう》といってお寺の入り口の門番だよ。右が口を開いて「あ」と発《はっ》する阿形《あぎょう》、左は「うん」と口をつぐんだ吽形《うんぎょう》というよ。こんな像に見られたら足がすくんでしまうよね。

まさに〝阿吽の呼吸〟で悪いものからみん

なを守っているんだね☆

浅湫　その通り。これらは天という部類なんだけど、天はとにかく数が多いんだ。インドのヒンドゥー教や中国の道教《どうきょう》、日本の神さまなどいろいろなものが取り入れられているんだ。中には女性がいたり、頭が動物だったり、すがたも性格も豊かでバリエーションに富《と》んでいるよ。

トラもいるかなぁ♪　仏像はとっても奥が深いリン！　他にはどんな仏像があるんだろう？

浅湫　京博には他にもたくさんの仏像があるから、是非もう一度見てみて。きっと楽しめるはずだよ。

たくさんの仏像を見てみたいリン！　浅湫研究員、教えてくれてありがとリン♪

金剛力士立像（二躯）　鎌倉時代
像高　阿形：238.5㎝　吽形：239.0㎝　木造彩色

Q 仏像の種類や特徴を教えて?

仏像は、先述した「如来」「菩薩」「明王」「天」の大きく4つに分類されます。また、日本の神々のすがたをあらわした「神像《しんぞう》」や日本仏教の宗祖や派祖をあらわした「祖師像《そしぞう》」などもあります。次の仏は代表的なものですが、日本には多種多様な仏像が存在します。

このページは若手のホープ★伊藤AF(アソシエイトフェロー)に解説してもらうリン!

如来

悟りの境地に到達した仏

釈迦如来…施無畏《せむい》・与願《よがん》印あるいは禅定《ぜんじょう》印を結ぶ作例が多い。涅槃《ねはん》(入滅《にゅうめつ》)の場面をあらわす場合は横になっている。

薬師《やくし》如来…東方の浄瑠璃《じょうるり》世界(青い光につつまれた天国)の教主で薬師瑠璃光如来とも呼ばれる。左手に薬壺《やっこ》を執《と》り、脇侍《きょうじ》(日光《にっこう》・月光《がっこう》菩薩)を従《したが》える。

阿弥陀如来…西方の極楽浄土に住す。定《じょう》印や来迎《らいごう》印を結び、脇侍(観音・勢至《せいし》菩薩)を従える。

大日《だいにち》如来…密教の中心的な仏。如来では珍しく、宝髻《ほうけい》を結《ゆ》って宝冠《ほうかん》をのせ、腕釧《わんせん》、胸飾《きょうしょく》などで着飾っている。

五智《ごち》如来…密教の経典で説《と》かれる五体の如来(五仏《ごぶつ》)の総称。金剛界では、大日如来、阿閦《あしゅく》如来、宝生《ほうしょう》如来、阿弥陀如来、不空成就《ふくうじょうじゅ》如来を指す。

菩薩

今なお修行中。さまざまな方法で衆生(人びと)を救う

観音菩薩…さまざまな災難から衆生《しゅじょう》を救済する菩薩。一般的に聖観音、十一面、千手《せんじゅ》、如意輪《にょいりん》、馬頭《ばとう》、不《ふ》空羂索《くうけんさく》、准胝《じゅんてい》の七体を総称して七観音と呼ぶ。

文殊《もんじゅ》菩薩…釈迦三尊では、左脇侍（向かって右）。獅子《しし》座上《ざじょう》の蓮華座《れんげざ》に座《ざ》し、宝剣《ほうけん》と経巻《きょうかん》を執る。

普賢《ふげん》菩薩…釈迦三尊では、右脇侍(向かって左)。合掌《がっしょう》し、六牙《ろくげ》の白象《びゃくぞう》座上の蓮華座に座す。

弥勒《みろく》菩薩…釈迦の次に如来となる菩薩。右手を頬に当てる思惟《しゆい》像と五仏宝冠をのせて五輪塔《りんとう》を執る像がある。

地蔵《じぞう》菩薩…弥勒菩薩が如来となるまでにかかる56億7千万年の間に衆生救済する菩薩。頭を剃《そ》って、錫杖《しゃくじょう》と宝珠《ほうじゅ》を手に執る。

明王

主に怒りの表情を浮かべる仏

不動明王…一般的に右手に宝剣、左手に羂索《けんさく》を執り、怒りのすがたをしている。

五大明王…不動と降三世《ごうざんぜ》、軍荼利《ぐんだり》、大威徳《だいいとく》、金剛夜叉《こんごうやしゃ》（天台宗では烏枢沙摩《うすさま》）の五体の明王の総称。

愛染《あいぜん》明王…頭部に獅子冠をのせ、肉身部は赤色。愛の力を悟りにかえる明王。六臂《ろっぴ》（6本の手）には仏具のほか、弓矢を執る。

孔雀《くじゃく》明王…毒蛇を食べる孔雀を尊格化《そんかくか》した明王。明王では珍《めずら》しくおだやかな姿をしている。孔雀座上の蓮華座に座す。

天

仏教を守護する古代インドの神々

梵天《ぼんてん》…ヒンドゥー教神・ブラフマンが仏教に取り入れられた。帝釈天と一対で仏教を守護する。

帝釈天《たいしゃくてん》…ヒンドゥー教やバラモン教で信仰された神・インドラが仏教に取り入れられた。甲冑《かっちゅう》を身にまとい、武器である独鈷杵《とっこしょ》を執る。

四天王《してんのう》…持国天（東）、増長天（南）、広目天（西）、多聞天（北）の総称で、四方《しほう》を守護する。多聞天は単独で祀《まつ》られる場合、毘沙門《びしゃもん》天と呼ばれることがある。

吉祥《きっしょう》天…ヒンドゥー教の女神・ラクシュミーが仏教に取り入れられた。左手に宝珠を執り、右手は与願印を結ぶことが多い。

大日如来坐像《だいにちにょらいざぞう》

（五智如来坐像のうち1躯）

智拳印《ちけんいん》（智恵の象徴）を結ぶ大日如来を中心とする五智《ごち》如来のうちの1躯《く》。量感あふれるすがたから、9世紀にさかのぼるとみられ、現存する五智如来としては最古の作である。

国宝　大日如来坐像
（国宝　五智如来坐像のうち）
京都・安祥寺　平安時代（9世紀）
像高161.2cm　木造漆箔・彩色

Point!

五智如来は、密教における5つの智恵を如来に当てはめた像。大日如来のほか、阿閦《あしゅく》如来は触地《そくち》印、宝生《ほうしょう》如来は与願《よがん》印、阿弥陀如来は定《じょう》印、不空成《ふくうじょう》就《じゅ》如来は施無畏《せむい》印を結び、それぞれに意味やはたらきがある。

木造十一面観音立像
（京都国立博物館蔵）

本来なら、頭上にこのような顔がのっている。

Point!

一般的に頭上には 11 の顔があり、一番上が如来形の仏面。他の 10 面は菩薩形で3つが慈悲、3つが憤怒《ふんぬ》、3つが牙を出し、後頭部は大笑いの表情をしている。全方角に注意を向けて人びとを救う。

十一面観音立像《じゅういちめんかんのんりゅうぞう》

サクラの一材から本体と台座《だいざ》を彫《ほ》り出し、目や口へわずかに彩色する以外は、素地のままの仕上げである。現状では頭上の菩薩面は欠失するが、別に作って挿《さ》していた。

重文　十一面観音立像
京都・勝龍寺
鎌倉時代（13世紀）
像高36.1cm　木造素地

地蔵菩薩坐像《じぞうぼさつざぞう》

小像ながらもボリューム感あふれる造形で、衣のひだを深く刻んでいる点なども9世紀の仏像の特徴。現存する地蔵菩薩で坐っているものとして2番目に古い。

Point!

地蔵菩薩は、釈迦が入滅したのち弥勒如来があらわれるまでの如来が不在の時代に人びとを救済する存在。特に庶民に親しまれた。

重文　地蔵菩薩坐像　京都・新町地蔵保存会
平安時代（9世紀）
像高48.1cm　木造彩色

Point!

鉈彫（なたぼり）

全面にあえて粗いノミ目を残し、この仏が木から今まさにあらわれているところをあらわす技法。特に東日本で流行した。規則的な彫りが味わい深い。

宝誌和尚立像《ほうしおしょうりゅうぞう》

宝誌和尚（４１８～５１４）は中国の伝説的な僧。皇帝が画家に命じて肖像を描かせようとしたところ、顔を裂いて下から観音のすがたをあらわし自在に変化したので、ついに描くことができなかったというエピソードが有名。本像はそれに基づいた造形である。

重文　宝誌和尚立像　京都・西往寺
平安時代（11世紀）
像高159.0cm　木造素地

4コマ漫画　印を結ぶ

※おじさんで関節がかたいので足を組んでいませんが、本当は足を組んで結跏趺坐（けっかふざ）をしています。　by 浅湫研究員

3章

描かれた仏

じつは、日本美術の王道です

トラりん　仏像っていろんなタイプがあるリン♪　あれ、そこにいるのはいつもわかりやすいお話を聞かせてくれる大原研究員だリン☆

大原研究員（以下 大原）　仏や神をかたちにしたものは、仏像だけではないよ。仏を描いた絵画「仏画《ぶつが》」というジャンルがあるのは知っているかな?

もちろん！（エッヘン☆）でも、仏画にはまだ足を踏み入れられていないリン！

大原　仏画のみかたを知らないと、たしかに取っつきづらいかもね。でも本来、仏画は日本美術の王道なんだ。

明治維新になり、西洋の最新の文物《ぶんぶつ》がどっと入ってきたので、日本の古いものはダメなものだとされたんだ。ところが徐々に、日本の

美術を見直そうという機運《きうん》が高まった。中でも、西洋にはない日本独自の感性があらわれた平安時代の「仏画」こそ、日本美術の最高《さいこう》峰《ほう》のものだと評価されたんだ。だから、絵画部門での国宝第一号は普賢菩薩《ふげんぼさつ》像（東京国立博物館蔵）だった。でも、仏画はとてもデリケートな芸術なので、知識と観察眼《かんさつがん》を養《やしな》わないと、よくわからない世界でもあるんだ。

これは濃ゆ〜い展開になりそうだリン！

大原　この本は「日本の美術を学ぶ」本だから、トラりんもついに日本美術の本丸にたどり着いたといえるね。

感激だリン！　それでは大原研究員、仏画について教えてくださいリン!!

大原　よろしおす。まずは十二天像《じゅうにてんぞう》のうち「水天《すいてん》像」から見ていこう。水天は西方を守護する水神。十二天は各方位を護《まも》る諸尊《しょそん》の総称だよ。

仏画は、かめばかむほど味がある

水天《すいてん》

仏画

日本人の美意識を磨き上げる

大原　この作品は国宝に指定されているんだけど、その理由はわかるかな？

いきなり質問のレベルが高いリン……！　他の仏画にくらべて、すごいから？

大原　その通り。ではなぜすごいのか。この仏画は、日本人がもつ美意識を究極まで高めたものなんだ。

ど、どういうこと?!

大原　清《せい》少《しょう》納《な》言《ごん》は『枕《まくらの》草《そう》子《し》』で「なにもなにも、小さきものはみなうつくし」といって、雀《すずめ》や人形、植物など小さなものを讃《たた》えている。美術において日本人は、小さな対象に工芸的な技術をつぎ込んだファンタジーの世界に、理想の美を見出してきた。この仏画も、画面に余白を大きくもたせて、モチーフを小さく、まとまりを感じさせるように描いているでしょ？　その小さなモチーフの中に、豊かな色彩模様と截金《きりかね》（金箔《きんぱく》を細く切って貼りつけた地模様）などの技巧を凝《こ》らしている。

まさに水の精のような美しさだリン！

国宝「十二天像」のうち水天
平安時代（12世紀）
縦144.3cm　横126.5cm

膝の周辺を明るくぼかすことで、柔らかで華やかな姿を演出する

この絵は日本人のオーソドックスな価値観を究極まで高めたものだから、国宝に指定されたといえるんだ。

日本人のセンスをトコトン磨き上げた作品だから、国宝なのか！

大原　仏教伝来以前からの、日本人の感性だね。

昔のスタイルを「最新」とごまかした？

大原　仏教は外来の文化であるがゆえ、仏画にはインドや中国の先進的な大陸文化、いわば「ほんばもの」への憧れも色濃く反映されているんだ。「釈迦金棺出現図《しゃかきんかんしゅつげんず》」を見てみよう（50ページ）。こちらも国宝。涅槃《ねはん》（死を指すが、入滅《にゅうめつ》ともいわれる）に入った釈迦が、遅れてやって来た母・摩耶夫人《まやぶにん》の嘆きを鎮《しず》めるため、棺《ひつぎ》から起き上がって説法する様子を描いているよ。

うわー！　さっきの仏画とは印象が全然ちがうリン！　なんだかエキゾチック（ウットリ♪）

大原　中国美術への憧れが、この異国情緒からつよく感じられるよね。日本では、対中関係や仏教そのものへの考え方が時代によって変化してきた。だから中国美術を熱烈《ねつれつ》に受け入れる時期と、そうでない時期とがあるんだ。ちなみに、この仏画は11世紀後半（平安時代）の、中国ブームが高まる時期に描かれたんだ。当時、航海技術は万全ではなかったし、最新の「ほんばもの」を手に入れるのはとっても

大変。だからこの仏画の絵師が参考にしたものは、当時から100年ほど前に日本に伝わった「中国っぽい」作例だったんだ。

つまり、最新のスタイルじゃなかったってこと?

大原　100年前に日本に伝わっていた、いかにも中国っぽい作例をコピーすることで、「中国らしさ」を演出しようとしたわけだ。画面いっぱいに人物をぎゅうぎゅうに詰め込むという、どこか日本離れした美意識が他の平安仏画とまったくちがう。日本人の美意識の限界を突破するようなすごみがある。

国宝には2種類がある

新たな挑戦だリン!

大原　国宝に指定された作品には、既存《きぞん》の美意識をとことん突き詰めた作品と、既存の美意識を突き抜けて新たな美を生み出した作品の、2種類があるんだ。この作品はまさに後者だね。高い技術をもった絵師が、既存の美意識にあきたらなくなって、日本美術と外来美術のせめぎあいの中から新たな「日本の美」を作り出していく。これはじつは、日本美術史の大きな流れでもある。だからこそ、この仏画は画期的な傑作《けっさく》と評価されるんだ。

こんなに細かな絵を完璧に描けるなんて、スゴ腕の絵師だリン!

大原　絵師には仏教の知識も求められるからね。本来なら、仏の描写を少しでも間違えたら、祈りの対象ではないはず。でも、描写を間違っているから国宝となった仏画もあるんだよ。

そんなことがあるの?!　なんだってぇ!!

大原　予想通り食いついてくれるね、トラりん。

国宝「釈迦金棺出現図」　平安時代(11世紀)　縦160.0cm　横229.5cm

注文　　部

発行所
淡交社
473

監修
京都国立博物館

書名
トラりんと学ぶ日本の美術② 神仏への祈り

定価
円+税

9784473043627
ISBN978-4-473-04362-7
C0070 ¥1500E

淡交社

注文カード

淡

〒603-8588 京

〒162-0061 東

ISBN978-4-473-0

仏画

釈迦金棺出現図《しゃかきんかんしゅつげんず》

釈迦と向き合う女性が摩耶夫人

山越阿弥陀図《やまごしあみだず》

間違っているからこそ名品？

大原　この「山越阿弥陀《あみだ》図」には致命的なエラーがあるんだけど、どこかわかるかな？

えっとー…どこかな？　色づかいとか？

大原　ヒントをあげよう。「山越」は、どう読むと思う？

え〜と、ヤマゴエ？

大原　確かに、この作品では阿弥陀が山を越えて迎えに来ているよね。でも本来、阿弥陀は山の上に昇《のぼ》っていく死者の魂《たましい》を、山越しで待ち受けているはず。日本では仏教が伝わる以前から、死んだ人の魂は山の上に昇っていくと信じられていた。この古来の信仰と、外来の仏教に由来する阿弥陀信仰が習合《しゅうごう》して生まれた画題が「山越阿弥陀」。だから本来、「山越」は「ヤマゴシ」と読むべきなんだ。

山越しにいる阿弥陀さまだリン☆

大原　山を越えてきてはいけない。奈良国立博物館蔵の「山越阿弥陀図」（54ページ）の

国宝「山越阿弥陀図」
鎌倉時代（13世紀）
縦120.6cm　横80.3cm

「山越阿弥陀図」　鎌倉時代（14世紀）
縦147.3cm　横94.5cm　奈良国立博物館蔵
（撮影　佐々木香輔）

阿弥陀は山の向こうで待ち受けているのが一般的。

ような構図が宗教的には正しいんだ。ところが、こちらの作品は阿弥陀が山を越えてきている。本来の宗教的意味を犯《おか》してまで、絵画的で情景的な場面表現をしようとしている。こんな例は他にはないよ。

この作品では「絵画的」な表現をどうやって生み出しているの？

大原　二次元の画面に三次元の世界を成り立たせるために、色の位置関係（ヴァルール）

を理解した色づかいを駆使《くし》したり、斜《なな》め横から阿弥陀を描いたりして、三次元の奥行きを感じさせている。だから、教えとしては間違った描写なのに、有無を言わさぬ説得力と美しさがあるんだ。

説明してもらうと、ますます絵の素晴らしさが伝わってくるリン☆

大原　そうなんだよ！　仏画を本当に味わうなら、画題を理解し、技法を理解し、美術の理論を学び……。

大原研究員、ちょっと待って〜！

大原　おっと、まだ1歳のトラりんには情報が多すぎたかな？　すごい美術にはワケがあるんだと思うと、日本美術（中でもそのトップである仏画）の勉強は、もっと面白いものになると思うよ。

仏画の奥深さが、ちょっとわかった気がするリン！　これからも、たくさん教えてね、大原研究員♪

Q1 仏画にはどんなものがあるの?

仏画の題材は、経典《きょうてん》で説かれる尊像や仏典中の説話《せつわ》などにあります。そのため仏教の教理を正確に表現することが求められ、また、仏像と同じように礼拝の対象ともなりました。

仏画は、描かれる主題によって次のように大別されます。

尊像画《そんぞうが》…法会《ほうえ》や礼拝などの際に本尊として造立されたもの。「地蔵菩薩像」（60ページ）などがその例です。

変相図《へんそうず》…経典の内容をわかりやすく絵画にしたもの。例えば「釈迦金棺出現図」は『摩訶摩耶経《まかまやきょう》』などを典拠にしています。

六道絵《ろくどうえ》…生きるものすべてが輪廻転生《りんねてんしょう》する6つの世界（地獄・餓鬼《がき》・畜生《ちくしょう》・阿修羅《あしゅら》・人・天）を描いたもの。

仏教説話画…釈迦の誕生前の物語（本生話《ほんじょうわ》）や、高僧の伝記や仏教にまつわる伝記などを図示したもの。

曼荼羅《まんだら》…諸仏・菩薩や神々を一定の規則にもとづいて図式的に配列し、諸尊の悟りの世界をあらわしたもの。後には、神仏を画面上に並べたものも、曼荼羅というようになりました。神を仏の化身と考える本《ほん》地垂迹《じすいじゃく》思想にもとづき、神を仏の姿で描いて信仰の依《よ》りしろとする垂迹曼荼羅など、さまざまな曼荼羅が描かれています。「男山《おとこやま》八幡《はちまん》宮《みや》曼荼羅《まんだら》」はその好例です。

重文「男山八幡宮曼荼羅」
鎌倉時代（14世紀）
縦137.6cm　横63.6cm

Q2 なぜ仏画には国宝が多いの？

平安時代中・後期の仏画は「藤原仏画」ともよばれ、格別の名品が数多く残されています。

この時代は、日本人の美意識・オリジナリティーが磨き上げられたという意味で「国風文化」と評されます。また、経済力をもった貴族は華やかで洗練された美術品を愛好し、さらに仏教が彼らの心をとらえたため、信仰心のあらわれとして、豪奢《ごうしゃ》かつ緻密《ちみつ》な仏画が多く生み出されたのです。

京都国立博物館は「十二天像」「釈迦金棺出現図」「山水屏風《せんずいびょうぶ》」（いずれも国宝）など、この時代の名品を多数所蔵しています。

明治維新の時代、海外の文物が日本にどっと押し寄せてきたことで、日本美術は国内で軽視されました。しかし、明治時代の中頃になると、日本美術の再評価への機運が高まります。日本的な感性を高い芸術性によって表現した仏画が、日本美術の象徴として評価されるようになったのです。

三井財閥《みついざいばつ》の最高経営者・益田鈍翁《ますだどんおう》（孝《たかし》。１８４８〜１９３８）、生糸《きいと》業などで巨利を得た原三溪《はらさんけい》（富太郎《とみたろう》。１８６８〜１９３９）らが平安仏画を買い集めたことも、二束三文で売り出されていた仏画の価値を高めました。

信仰の対象であるがゆえの緻密さ、貴族たちの美意識を反映した華麗《かれい》さをあわせもつ平安仏画を所有することが、大コレクターの証《あかし》ともなったのです。

彼らのように美術鑑賞の世界をリードし、茶の湯に通じた財界人は「近代数寄者《すきしゃ》」と呼ばれます。彼らが所持した平安仏画に、国宝指定の名品が多いのには、こうした事情があるのです。明治の元勲《げんくん》・井上世外《いのうえせがい》（馨《かおる》。１８３５〜１９１５）が所持した「孔雀明王像《くじゃくみょうおうぞう》」（国宝。東京国立博物館蔵）は、明治35年（１９０２）に、1万円という当時の破格の高額で原三溪に譲られました。近代数寄者の審美眼《しんびがん》と収集への情熱を今に伝えるエピソードです。

興福寺曼荼羅図《こうふくじまんだらず》

最上部に奈良の春日社《かすがしゃ》と若宮《わかみや》社の社殿を、下部に興福寺の諸仏像を描く。藤原氏の氏神《うじがみ》・氏寺《うじでら》である両寺社を描く本図は、治承4年（1180）に焼失する以前の興福寺のすがたを伝える点で貴重。肉眼では判別困難なほど細密な描写、金箔裏押しと金泥《きんでい》表塗りを使い分ける凝った彩色技法など、観察眼が要求される絵。

重文「興福寺曼荼羅図」　鎌倉時代（13世紀）　縦96.8cm　横38.8cm

地蔵菩薩像《じぞうぼさつぞう》

壬生《みぶ》狂言《きょうげん》で知られる壬生寺（京都市）の本尊を描いたもの。同寺本尊は「壬生地蔵」として古来名高い鎌倉時代の木像だが、昭和になり本堂と共に焼失している。豪華な背障《はいしょう》を背に半跏《はんか》（片足を組む）し、脇侍《きょうじ》として、向かって右に閻魔天《えんまてん》、左に堅牢地神《けんろうちしん》を従える珍しい形式である。

「地蔵菩薩像」
鎌倉時代（13世紀）
縦98.0cm　横50.5cm

「温泉寺縁起」　室町時代（15世紀）　縦189.4cm　横160.6cm

温泉寺縁起《おんせんじえんぎ》

名湯として名高い摂津《せっつ》・有馬《ありま》温泉（神戸市）にある温泉寺《おんせんじ》創建の縁起《えんぎ》と霊験《れいげん》を描く。行基《ぎょうき》が同寺を創建した伝説にはじまり、僧の尊恵《そんえ》が閻魔《えんま》王宮で法華経《ほけきょう》を講読したという説話などを、右下を起点に千鳥《ちどり》状に上部へと順に、明快な色彩で生き生きと描いている。

4コマ漫画

仏画で深まる友情

4章

仏の教え

紺紙金字法華経《こんしきんじほけきょう》

あ、いつも優しい上杉研究員だリン♪

上杉研究員（以下上杉）　トラりん、元気？PR大使のお仕事を頑張ってる？

がんばっているリン☆

今日は、上杉研究員に経典《きょうてん》について聞きたいんだ！

上杉　いいけど、急にどうしたの？

仏像や仏画を勉強したら、仏さまのありがたい教えが書かれているというお経についても知りたくなったリン♪

上杉　そうなんだ。僕でよかったら協力するから、何でも質問して。

やっぱり上杉研究員は優しいリン♪

上杉　それでは、早速、学んでいこう。

重美「紺紙金字法華経　巻第五」（見返し・巻首）　平安時代　縦26.0cm　長930.0cm

瑠璃《るり》色の世界に書かれた仏の教え

上杉　まずは、これを見て。「紺紙金字法華《こんしきんじほけ》経《きょう》　巻第五」だよ。

紺色の紙に何か書いてあるリン！

上杉　これは「法華経」っていう仏教の経典が書かれているんだよ。それと、こっちも見て。

うん？　さっきの紙と似ているリン☆

上杉　こっちはね「紺紙金銀字華厳経《こんしきんぎんじけごんきょう》　巻第七十一」（66ページ）だね。どちらも、紺色の紙に金泥《きんでい》でお経が書いてあるんだ。こうしたお経は装飾経《そうしょくきょう》といって、平安時代によく作られたんだ。

とっても美しくて、心がやすらぐリン☆

上杉　それと、「紺紙金字法華経」は日本で書かれたんだけど、「紺紙金銀字華厳経」は中国で書かれたものなんだ。

どちらも、巻頭にそのお経に説かれている内容が描かれているんだよ。このようにお経の意味を絵画化したものを「経《きょう》意《い》絵《え》」というんだ。

絵を見たら、この巻はどんな教えが説かれているかがわかりやすいね☆

ところで、なんで紙の色が白じゃなくて紺色なの？

上杉　仏教では「七宝《しっぽう》」といって七つの宝物があるとされているんだ。経典によって異なるけど『法華経』では、金や銀、琉璃《るり》、しゃこ、瑪瑙《めのう》、真珠《しんじゅ》、玫瑰《まいかい》の七つとされ、その中の琉璃はラピスラズリといわれてるよ。

らぴすらずり？

上杉　深い青色や藍《あい》色をした宝石のことだよ。顔料《がんりょう》にも使われているね。それとね、『法華経』には釈迦《しゃか》が説法《せっぽう》する時に大地が瑠璃になって清められたという表現があるんだ。その表現に因《ちな》んで紺色の紙が使われているのか

「紺紙金銀字華厳経　巻第七十一（見返し、帖首）」　中国・元時代　縦31.0cm　長11.2cm

もしれないね。

素敵だリン☆　紺の紙に金で絵やお経が書かれているときれいだね♪

上杉　そうだね。金や銀で文字を書くというのも七宝からきているのかもしれないね。それと、「紺紙金字法華経　巻第五」はすべて金《きん》泥《でい》で書かれているけれど、中国で書かれた「紺紙金銀字華厳経」は金泥と銀泥の二種類で書かれているね。特に「如来《にょらい》」とか「佛」「菩薩《ぼさつ》」「僧」といった尊い語句は金泥で書かれているんだよ。これも信仰のあらわれの一つだね。

本当だリン！　書き分けているんだね☆

「如来」などの尊い語句は金泥で書かれる

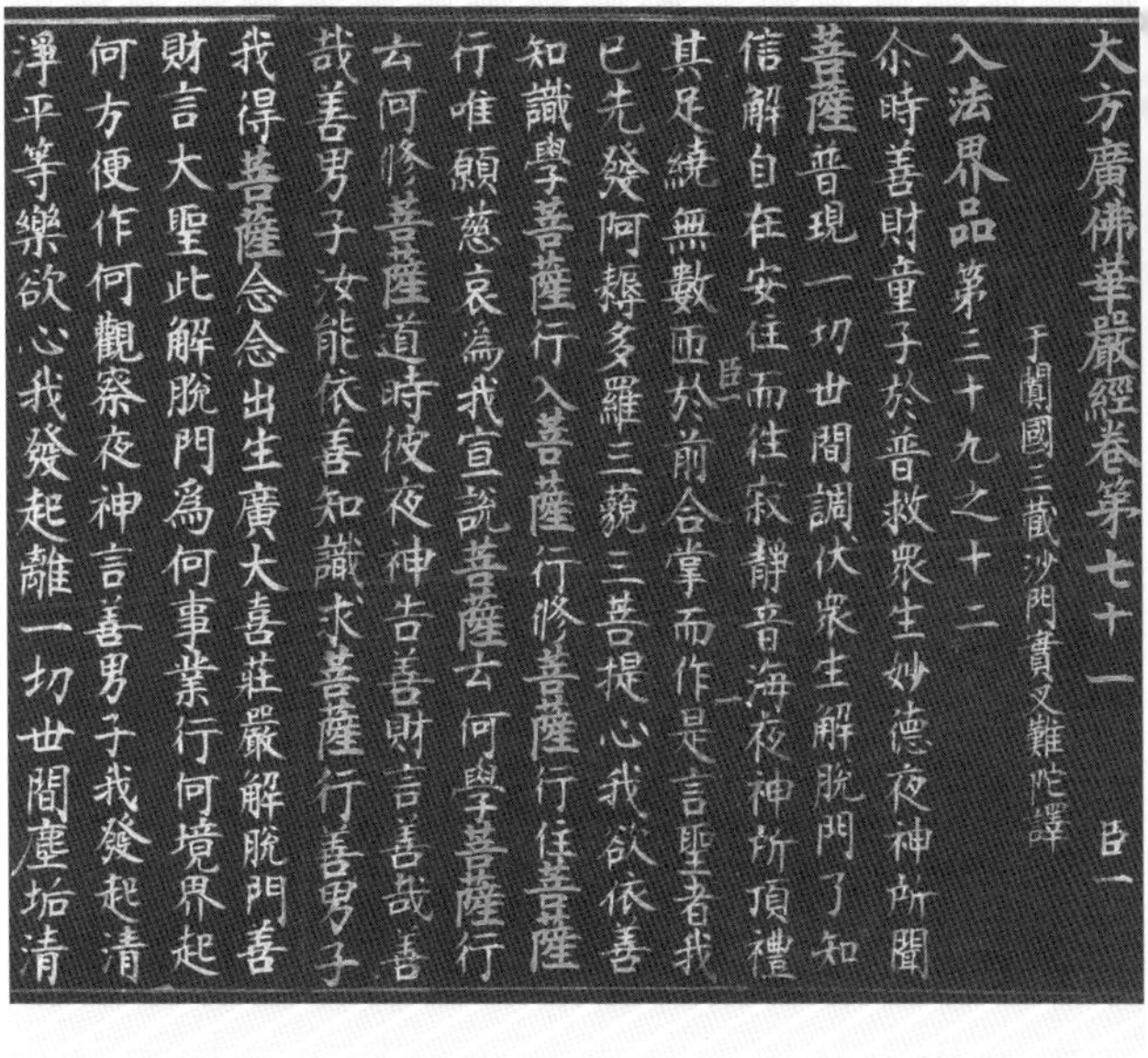
大方廣佛華嚴經卷第七十一　臣一
于闐國三藏沙門實叉難陀譯
入法界品第三十九之十二
介時善財童子於普救衆生妙德夜神所聞
菩薩普現一切世間調伏衆生解脫門了知
信解自在安住而往寂靜音海夜神所頂禮
其足繞無數匝於前合掌而作是言聖者我
已先發阿耨多羅三藐三菩提心我欲依善
知識學菩薩行入菩薩行修菩薩行住菩薩
行唯願慈哀爲我宣說菩薩云何學菩薩行
云何修菩薩道時彼夜神告善財言善哉善
哉善男子汝能依善知識求菩薩行善男子
我得菩薩念念出生廣大喜莊嚴解脫門善
財言大聖此解脫門爲何事業行何境界起
何方便作何觀察夜神言善男子我發起清
淨平等樂欲心我發起離一切世間塵垢清

法華経《ほけきょう》普門品《ふもんぼん》

お経の意味を絵画化する

上杉　じゃあ、次は「法華経普門品《ふもんぼん》（色紙経）」を見てみよう。

これもはじめに絵が描かれているリン！　それと、いろんな色の紙を使っているし、金箔も散らしてあってキラキラしているね☆

上杉　そうだね。これも「紺紙金字法華経」と同じく装飾経と呼ばれるものだね。このお経は正しくは、「妙法蓮華経《みょうほうれんげきょう》観世音《かんぜおん》菩薩普門品」といって、観音さまの徳とご利益が説かれているんだ。

この絵に描かれている丸いのはお月さま？

上杉　これは太陽だよ。山際《やまぎわ》を朝日が昇ってきて、手前の清らかで涼しげな蓮池《はすいけ》を照らしているところが描かれているんだよ。

このお経の第9紙の10行目の「無垢清浄光　慧日破諸暗　能伏災風火　普明照世間」とい

仏典

見返しの絵に芦手書で書かれた漢字（上）と、第9紙の該当部分（右）

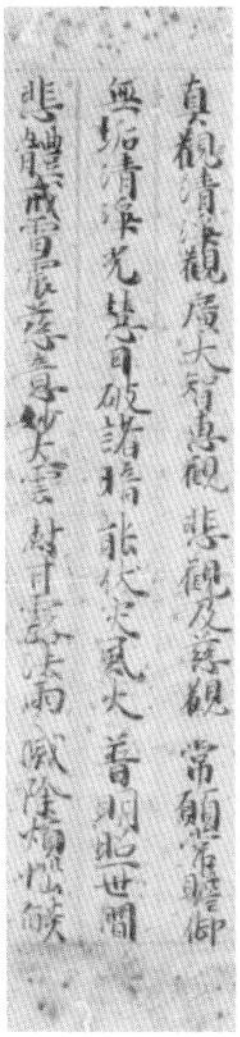
真観清浄観広大智慧観悲観及慈観常願常瞻仰
無垢清浄光慧日破諸闇能伏災風火普明照世間
悲體戒雷震慈意妙大雲澍甘露法雨滅除煩悩焔

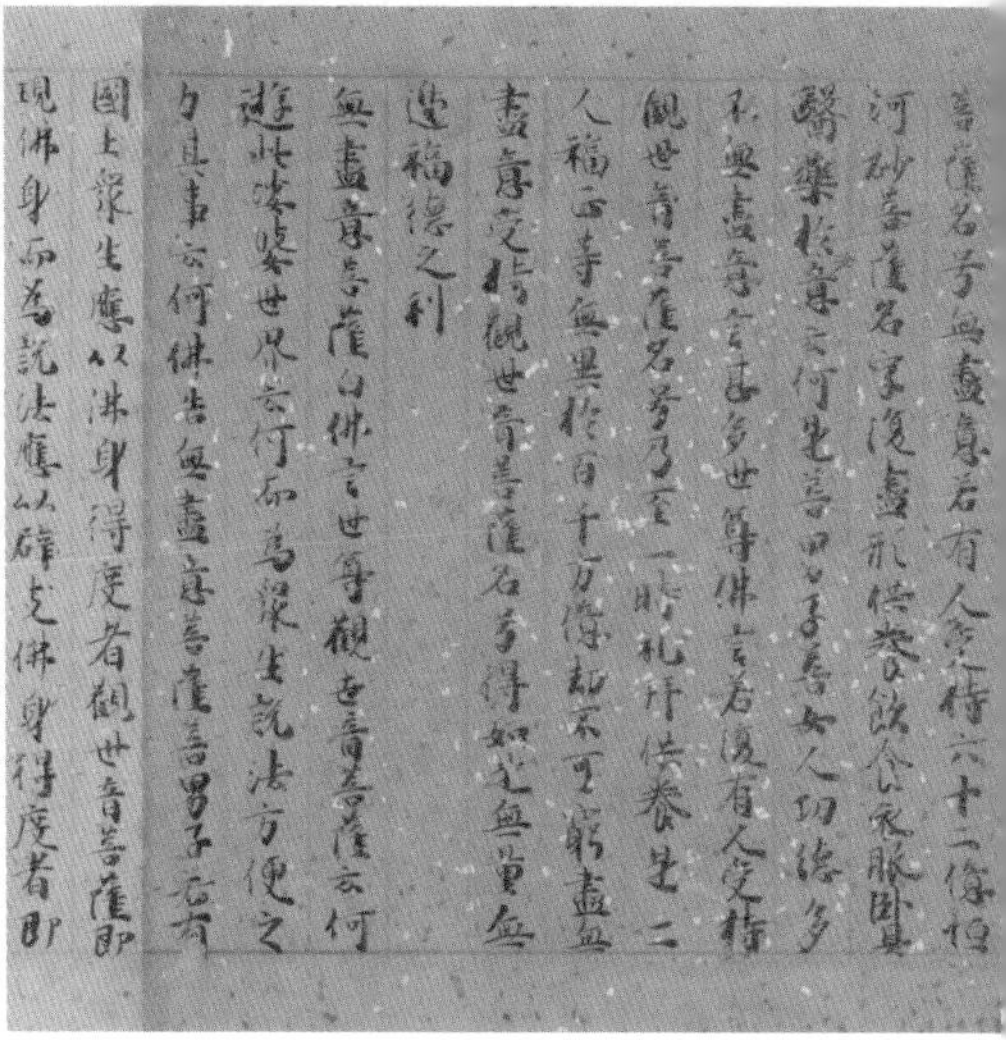
菩薩名字無盡意若有人受持六十二億恒
河沙菩薩名字復盡形供養飲食衣服臥具
醫藥於汝意云何是善男子善女人功徳多
不無盡意言甚多世尊佛言若復有人受持
觀世音菩薩名号乃至一時礼拜供養是二
人福正等無異於百千万億劫不可窮盡無
盡意受持觀世音菩薩名号得如是無量無
邊福徳之利
無盡意菩薩白佛言世尊觀世音菩薩云何
遊此娑婆世界云何而為衆生説法方便之
力其事云何佛告無盡意菩薩善男子若有
國土衆生應以佛身得度者觀世音菩薩即
現佛身而為説法應以辟支佛身得度者即

重文「法華経普門品」（色紙経　見返し）
平安時代　縦23.5cm　長290.5cm

うシーンなんだ。无（「無」の略字）・垢・清・浄・光・恵（「慧」と同じ意味）・日・破・諸・暗・普・明・照・世・間の15文字が絵の中に溶け込むように書かれているのが分かるかな。これは芦手書《あしでがき》といって、文字を、葦《あし》や水鳥、岩などになぞらえて絵画的に書いたものなんだよ。

本当だリン！　絵の中に字があるんだね☆

上杉　「観音の汚れのない太陽のような智慧《ちえ》の光はあらゆる暗闇を破り、災《わざわ》いとなる風や火をよく抑えて、広く明らかに世の中を照らします」という意味をあらわす経意絵だよ。

お経の意味を絵であらわしているなんて、すごいリン！　漢字ばかりだけれど何となく柔らかい印象だリン☆　第1巻で羽田研究員が「書は感じろ」って言っていたけど、わかってきた気がするリン！

仏の教えを正しく伝えなければ！

上杉　それでは、「五月一日経《ごがつついたちきょう》」と呼ばれる「続高僧伝《ぞくこうそうでん》　巻第二十八」「持心梵天経《じしんぼんてんきょう》　巻第四」を見てみようか。

「五月一日経」？　日記？

上杉　これはね、奈良時代の740年頃に写されたお経だよ。最後に「天平十二年五月一日記」と書かれた願文《がんもん》がつけられているから、これらのお経をまとめて「五月一日経」って呼んでいるんだ。

それにしても、最初から最後まで丁寧に書かれていて美しいリン♪　ボクだったらどんどん字が汚くなっていっちゃうよ！

上杉　そうだね。この経典は写経生というプロが写したものなんだ。写経生は間違いのないように写す、ということが大切で、誰が読んでも読み間違うことのないように丁寧に書いたんだよ。例えば「土」と「士」を間違わないように、「土」には「、」をつけて「圡」と書いているんだ。楷書《かいしょ》に近いんだけど、こんな風に「写経体」という独特の字体が使われているんだよ。

トラりん、この部分を見て。仏さまへの願い事が書かれている。これが願文だよ。ここに「光明子《こうみょうし》」って書かれているけどわかる？

わかるリン！　でも「光明子」って？

上杉　「光明子」っていうのは、奈良の東大寺の大仏をつくった聖武《しょうむ》天皇のお后《きさき》・光明皇后のことだよ。「光明皇后が亡くなったお父さん（藤原《ふじわらの》不比等《ふひと》）、お母さん（橘《たちばなの》三千代《みちよ》）の幸せと、この世の平和を祈って、全部のお経を書き写しました」って書いてあるんだ。

光明皇后の想いがきっかけで書かれたものなんだね☆
「全部のお経」って、どのくらいの量なの？

上杉　いい質問だね。「開元《かいげん》釈《しゃっ》教録《きょうろく》」とい

仏典

続高僧伝《ぞくこうそうでん》 (五月一日経《ごがつついたちきょう》)

天平十二年五月一日記

「五月一日経」と呼ばれる由縁となった願文部分

誰が読んでも間違えないようにするのが重要なんだ。

丁寧に書かれた字だリン♪

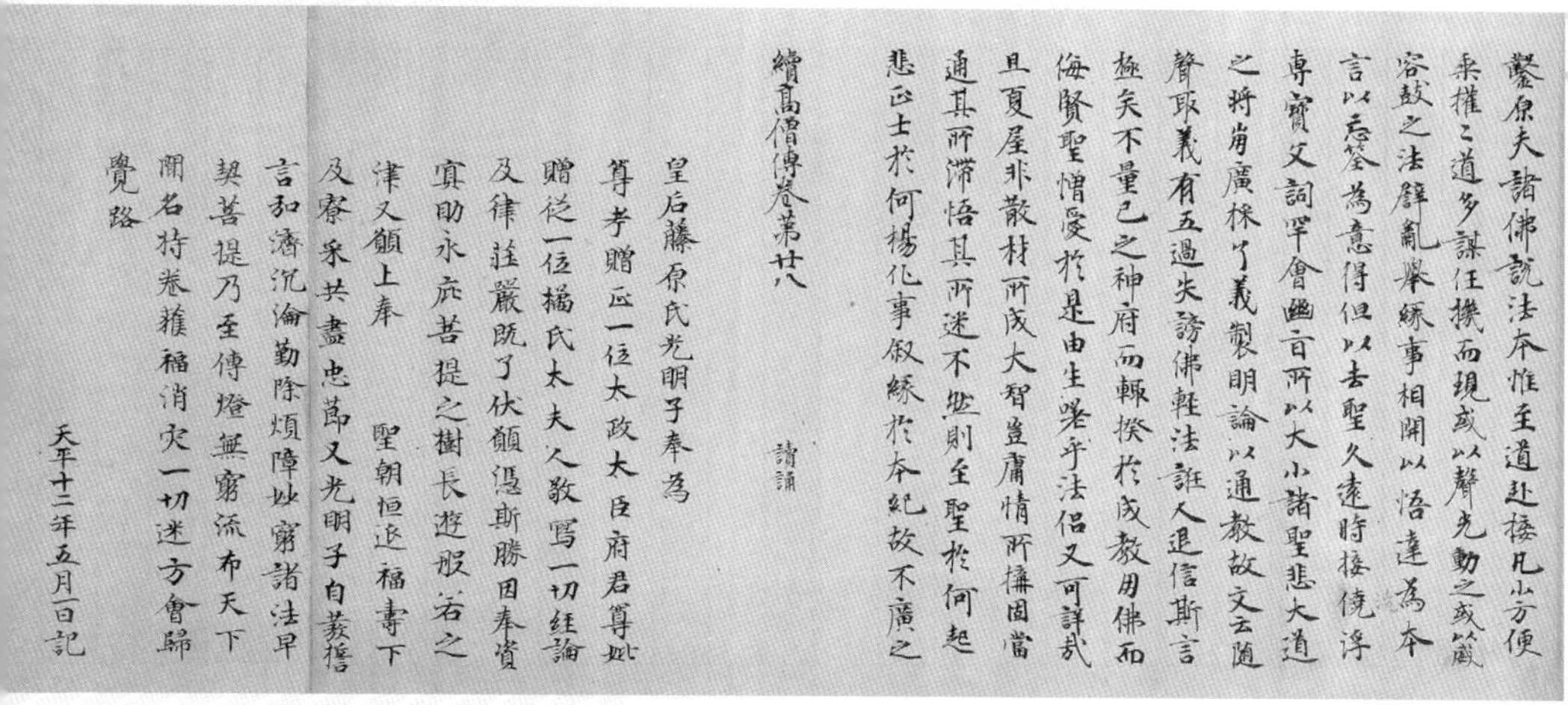
鑒原夫諸佛説法本惟至道赴接凡小方便
乗權之道多謀任機而現或以聲光動之或嚴
容鼓之法辭亂舉緣事相開以悟達爲本
言以忘筌爲意得但以去聖久遠時接澆浮
專寶文詞罕會幽旨所以大小諸聖悲夫道
之將喪廣探了義製明論以通教故文云隨
聲取義有五過失謗佛輕法誑人退信斯言
極矣不量己之神府而輙揆於成教用佛而
侮賢聖憎愛於是由生强乎法侶又可詳哉
且夏屋非散材所成大智豈庸情所攝固當
通其所滯悟其所迷不然則至聖於何起
悲正士於何揚化事叙緣於本紀故不廣之

續高僧傳卷第廿八

請誦

皇后藤原氏光明子奉爲
尊考贈正一位太政太臣府君尊妣
贈従一位橘氏太夫人敬寫一切經論
及律莊嚴既了伏願憑斯勝因奉資
冥助永庇菩提之樹長遊般若之
津又願上奉 聖朝恒延福壽下
及寮采共盡忠節又光明子自發誓
言弘濟沈淪勤除煩障妙窮諸法早
契菩提乃至傳燈無窮流布天下
聞名持巻獲福消災一切迷方會歸
覺路

天平十二年五月一日記

重文「続高僧伝　巻第二十八(五月一日経)」(巻末)　奈良時代　縦26.7cm　長751.0cm

重文「持心梵天経　巻第四（五月一日経、重跋本）」（巻首、巻末）　奈良時代　縦26.3cm　長1053.0cm

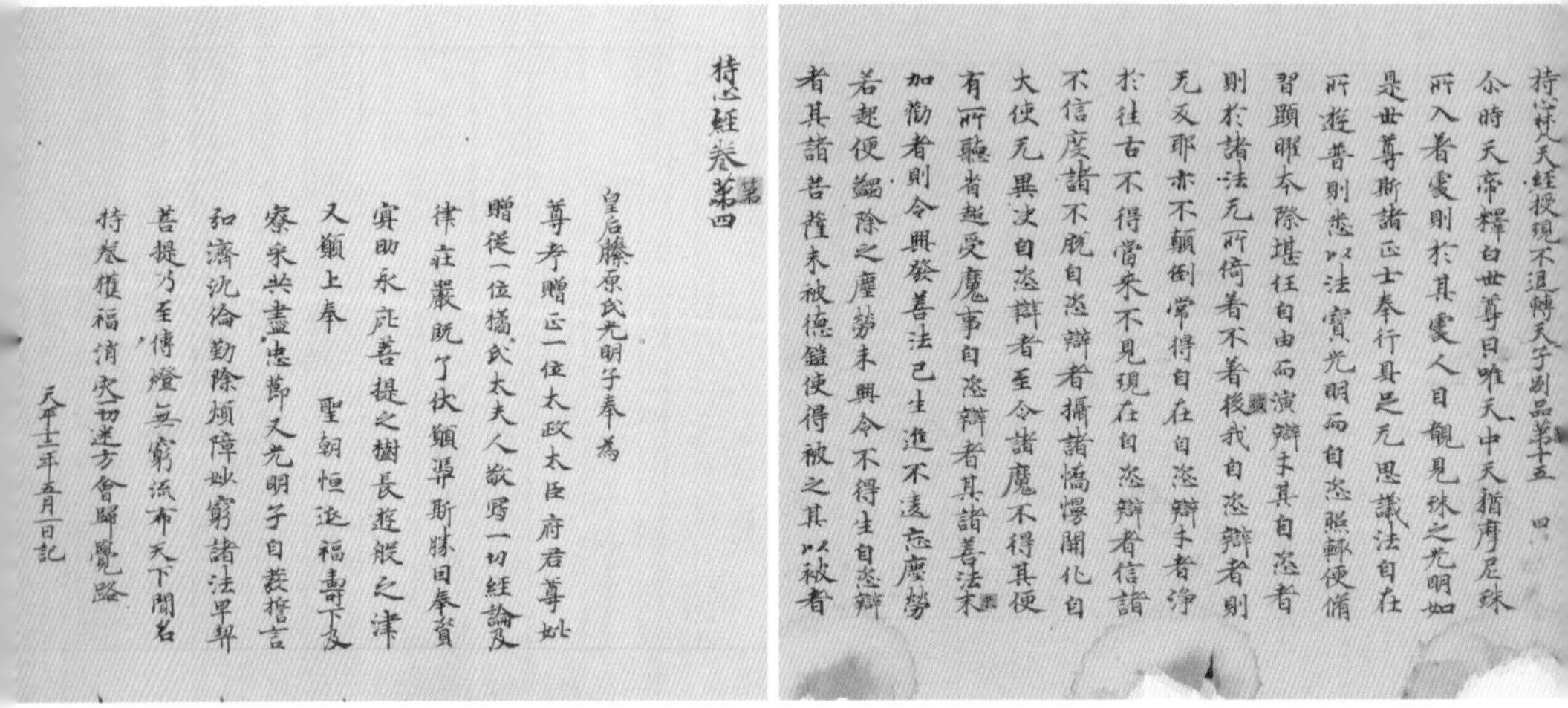
持心梵天經授現不退轉天子別品第十五　四
尓時天帝釋白世尊曰唯天中天猶摩尼珠
所入着處則於其處人目覩見珠之光明如
是世尊斯諸正士奉行真足無思議法自在
所遊普則悉以法寶光明而自恣照輒便備
習顯明本際堪任自由而演辯才其自恣者
則於諸法无所倚着不着彼我自恣辯者則
无叉耶亦不顛倒常得自在自恣辯才者淨
於往古不得當來不見現在自恣辯者信諸
不信度諸不脫自恣辯者攝諸憍慢開化自
大使无異次自恣辯者至令諸魔不得其便
有所聽者越受魔事自恣辯者其諸善法未
加勸者則令興發善法已生進不遠恋塵勞
若起便斷除之塵勞未興令不得生自恣辯
者其諸菩薩未被德鎧使得被之其以被者

持心經巻第四
皇后藤原氏光明子奉為
尊考贈正一位太政太臣府君尊妣
贈從一位橘氏太夫人敬寫一切經論及
律荘嚴既了伏願憑斯勝因奉資
冥助永庇菩提之樹長遊般若之津
又願上奉　聖朝恒延福壽下及
寮采共盡忠節又光明子自發誓言
弘濟沈淪勤除煩障妙窮諸法早契
菩提乃至傳燈無窮流布天下聞名
持巻獲福消災一切迷方會歸覺路
天平十二年五月一日記

う730年に中国で編纂《へんさん》されたお経のリストには5048巻ものお経が載っているんだ。

5048巻?!　いま、5048巻って言った?　え、聞きまちがいじゃないよね?!

上杉　聞きまちがいじゃないよ。最終的には7000巻くらい書き写されたみたいで、願文には「天平十二年五月一日記」って書いてあるけど、実際には天平8年（736）頃から、20年ぐらいかけて写されたんだよ。現在でも1000巻くらいは残っているよ。

まさに人生をかけたお経だリン！　光明皇后が一人で書き写したの？

上杉　国の仕事として、みんなで協力してお経は作られたんだ。お経を書き写すひとや、紙を継いで表紙や軸をつけて巻物にするひと。写された経文に間違いがないかを確認するひと。表紙にお経の題名を書くひと。多くのひとが写経所という施設に集められて、泊まり込みで作られたんだよ。

それはすごいおしごとだリン!!

上杉　正倉院《しょうそういん》には「五月一日経」に関する膨《ぼう》大《だい》な史料が残されていて、お経がどのように写されたのか、誰が写したのかといったことがわかるんだ。

本当に?

上杉　例えば、お経を書き写す写経生の給料は、1紙(17字×28行=476字)写して5文(約160円)。1日平均で7紙(約1120円分)書写したそうだよ。

ボクならおやつを買いにいくリン♪

上杉　ただし、5字間違うと1文、1字書き落とすと1文、1行(17字)書き落とすと20文(約640円)の罰金《ばっきん》がとられたんだ。

えー!おやつが少なくなってしまうリン!

上杉　うん。でも罰金も丁寧な文字も、「仏の教えを正しく伝えよう」という想いがかたちになったものなんだよ。写経は、みんなの幸せを祈る大切な仕事だったんだ。
ところで、表紙の題名を書くために使われた筆には動物の毛が使われているんだけれど、どの動物の毛が使われたかわかるかな?

え?! 動物の毛が使われているの? もしかして……

上杉　もしかして?

虎じゃないよね……

上杉　大丈夫、安心して。狸《たぬき》の毛だよ。ちなみに本文用の筆はうさぎの毛なんだ。

虎じゃなかったー!!

それにしても、いろいろなひとの力が合わさって、お経が完成するということがわかったよ☆　上杉研究員、ありがとリン♪

Q1 仏典《ぶってん》ってどんなもの？

仏典とは、仏教の教えを書き記した典籍《てんせき》（書物）のことです。狭義《きょうぎ》では、釈迦《しゃか》が説いた教え（「経蔵」）を指しますが、出家修行者が護るべき集団規則である「律蔵《りつぞう》」と仏教の教説を解説した「論蔵《ろんぞう》」の総称として使われます。

その経・律・論の三蔵を集大成《しゅうたいせい》したものを一切経《いっさいきょう》（大蔵経《だいぞうきょう》）と呼び、その数は5000巻を越えます。

奈良時代に、聖武天皇が奈良の東大寺に盧舎那仏《るしゃなぶつ》像を造立して仏教を大いに振興《しんこう》した当時、光明皇后によって「五月一日経」が書写されましたが、20年間にわたって書写された総巻数は約7000巻にも及んだと推定されています。

釈迦が説いた教えが書かれているんだよ。

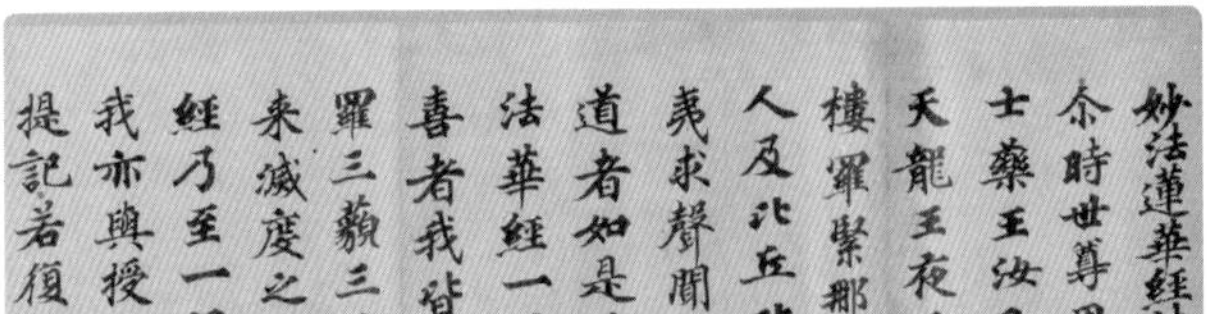
妙法蓮華經法師品第十
尒時世尊因藥王菩薩告八萬大
士藥王汝見是大衆中無量諸
天龍王夜叉乾闥婆阿脩羅迦
樓羅緊那羅摩睺羅伽人與非
人及比丘比丘尼優婆塞優婆
夷求聲聞者求辟支佛者求佛
道者如是等類咸於佛前聞妙
法華經一偈一句乃至一念隨
喜者我皆與授記當得阿耨多
羅三藐三菩提佛告藥王又如
來滅度之後若有人聞妙法華
經乃至一偈一句一念隨喜者
我亦與授阿耨多羅三藐三菩
提記若復有人受持讀誦解說

重文「大字法華経法師品第十」（巻首）　奈良時代　縦26.2cm　横214.0cm

Q2 装飾経ってどんなもの？

仏典は釈迦の教えを、素紙に墨一色で書き記しているのが一般的ですが、料紙《りょうし》に美麗《びれい》な装飾を施《ほどこ》したものを「装飾経」と呼びます。

紺などに染めた紙を用いたり、金銀泥《でい》で経や絵を書き、金銀の箔《はく》を散らすなど多彩です。

奥州《おうしゅう》藤原氏の「中尊寺経《ちゅうそんじきょう》」や平家の「平《へい》家納経《けのうきょう》」などにみられるように、平安時代には財力のある貴族などによって豪華な経典が作られています。「法華経」の一字一字が仏そのものとの考えから、蓮華《れんげ》の台（蓮台・蓮華座）の上に文字を乗せて書き写した「一字蓮台法華経《いちじれんだいほけきょう》」（第1巻参照）も装飾経の一つです。

また、「絵因果経《えいんがきょう》」のように上段に経文の内容を描いた、絵巻物の原形と考えられる仏典もあります。

妙法蓮華經如來神力品第二十一
尒時千世界微塵等菩薩摩訶薩從地涌出
者皆於佛前一心合掌瞻仰尊顏而白佛言
世尊我等於佛滅後世尊分身所在國土滅
度之處當廣說此經所以者何我等亦自欲
得是真淨大法受持讀誦解說書寫而供養
之尒時世尊於文殊師利等無量百千万億
舊住娑婆世界菩薩摩訶薩及諸比丘比丘
尼優婆塞優婆夷天龍夜叉乾闥婆阿修羅
迦樓羅緊那羅摩睺羅伽人非人等一切衆
前現大神力出廣長舌上至梵世一切毛孔
放於無量無數色光皆悉遍照十方世界衆
寶樹下師子座上諸佛亦復如是出廣長舌

重文「一字蓮台法華経」(巻首)　平安時代　縦28.8cm　横102.1cm

浄名玄論《じょうみょうげんろん》

『浄名玄論』は中国・隋《ずい》時代に著された『維《ゆい》摩《ま》経《きょう》』の研究書。この写本は、巻第四と巻第六に慶雲3年（706）12月の奥書があり、紀年を用いて書写年代を明らかにした日本最古の写本であり仏典。古写経史上の稀《き》覯《こう》の遺品でもある。

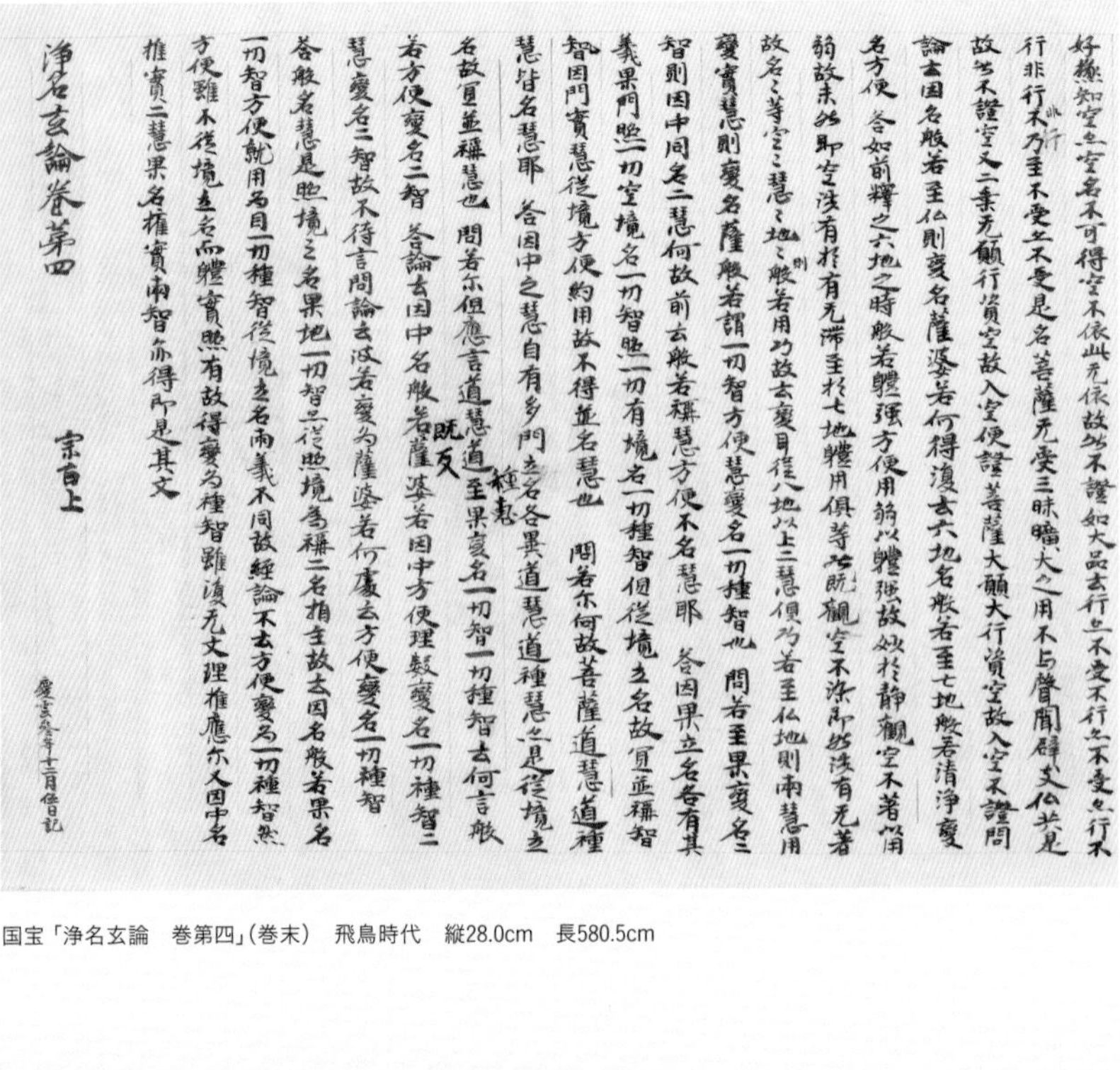

国宝「浄名玄論　巻第四」（巻末）　飛鳥時代　縦28.0cm　長580.5cm

金剛般若経開題残巻《こんごうはんにゃきょうかいだいざんかん》

弘法大師《こうぼうだいし》空海《くうかい》自筆の『能断金剛般若波羅蜜《のうだんこんごうはんにゃはらみつ》経《きょう》』の開題《かいだい》（仏教経典の経題を解釈し、その大要を述べること）。草書体《そうしょたい》と行書体《ぎょうしょたい》を交《まじ》えて書かれ、所々に抹消《まっしょう》や修正の跡が見られるため草稿本《そうこうぼん》と考えられる。そのためかえって空海のありのままの筆跡を伝えるものとして興味深い。

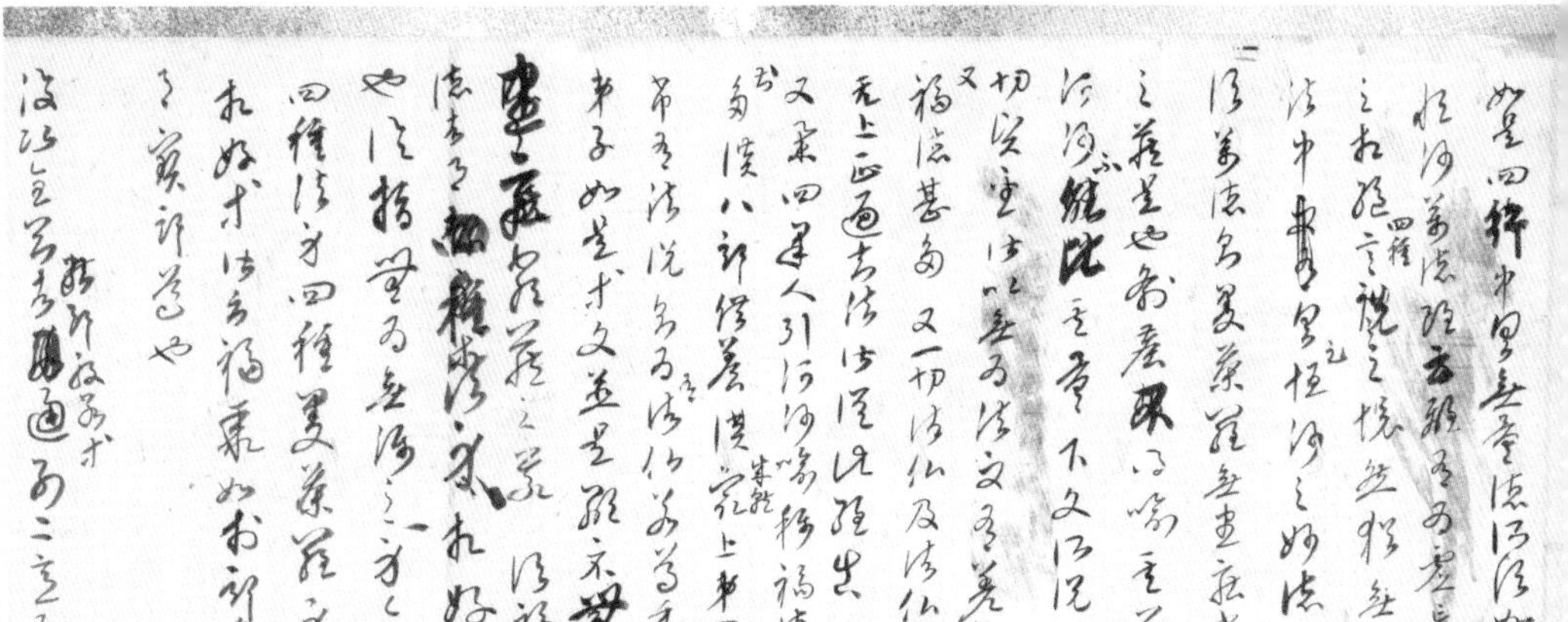

国宝「金剛般若経開題残巻」（巻首）　空海筆　平安時代　縦27.6cm　長202.4cm

金光明経《こんこうみょうきょう》 巻第三《かんだいさん》

建久3年（1192）3月13日に後白河法《ごしらかわほう》皇《おう》が崩御《ほうぎょ》した直後から供養のために写経が行われた。雲母引《きらび》きの料紙に絵巻の白描《はくびょう》下絵が描かれ、その上に銀の罫線《けいせん》を入れ、経文を書写している。人物の頭部には目鼻が描かれていないため「目無経《めなしきょう》」の名がある。

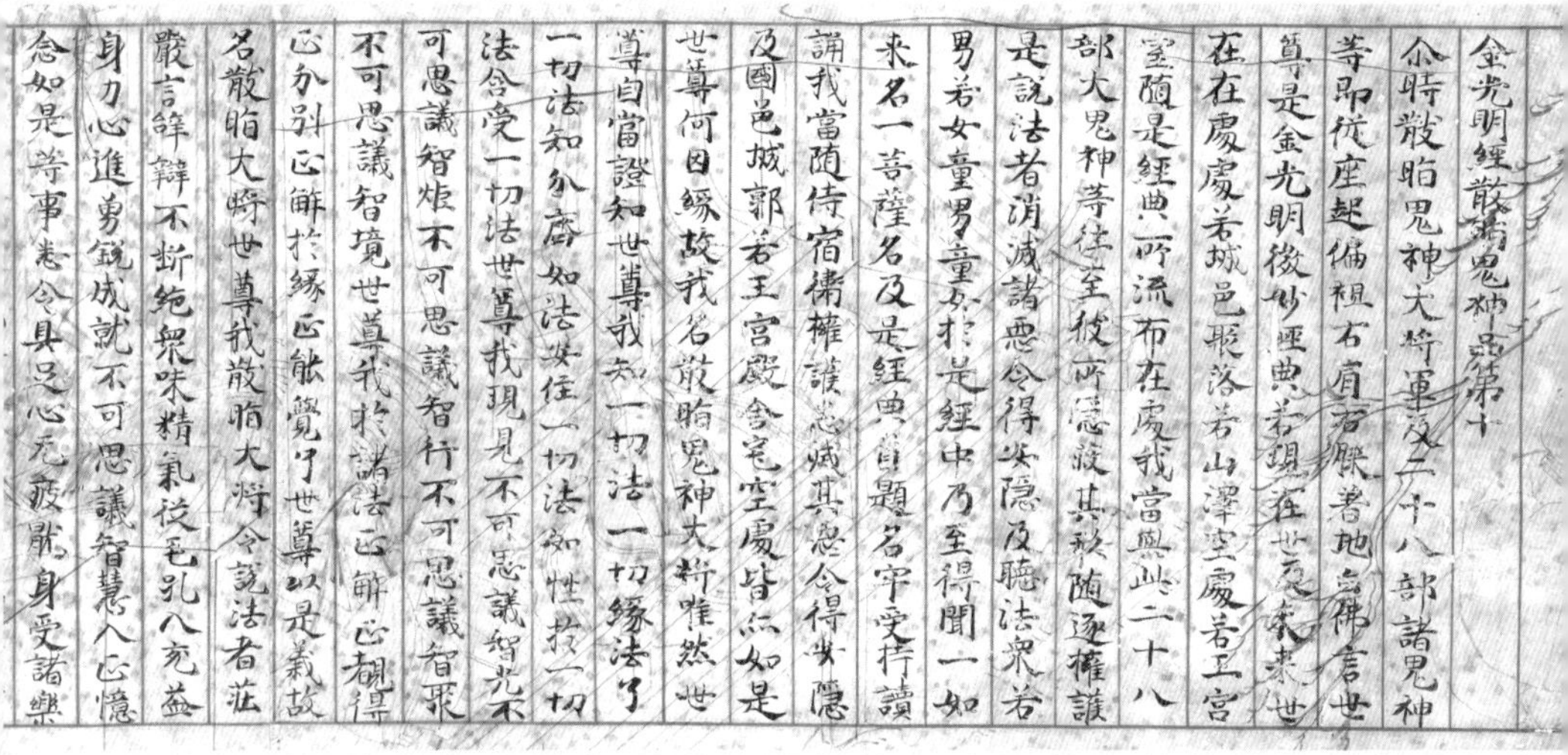
金光明經散脂鬼神品第十
尒時散脂鬼神大將軍及二十八部諸鬼神
等即從座起偏袒右肩右膝著地白佛言世
尊是金光明微妙經典若現在世及未來世
在在處處若城邑聚落若山澤空處若王宮
宅隨是經典所流布在處我當與此二十八
部大鬼神等往至彼所隱蔽其形隨逐擁護
是說法者消滅諸惡令得安隱及聽法衆若
男若女童男童女於是經中乃至得聞一如
來名一菩薩名及是經典首題名字受持讀
誦我當隨侍宿衛擁護悉滅其惡令得安隱
及國邑城郭若王宮殿舍宅空處皆亦如是
世尊何因緣故我名散脂鬼神大將唯然世
尊自當證知世尊我知一切法一切緣法了
一切法知分齊如法安住一切法如性於一切
法含受一切法世尊我現見不可思議智光不
可思議智炬不可思議智行不可思議智聚
不可思議智境世尊我於諸法正解正觀得
正分別正解於緣正能覺了世尊以是義故
名散脂大將世尊我散脂大將令說法者莊
嚴言辭辯不斷絶衆味精氣從毛孔入充益
身力心進勇鋭成就不可思議智慧入正憶
念如是等事悉令具足心无疲厭身受諸樂

国宝「金光明経　巻第三」（巻首）　鎌倉時代　縦25.9cm　長824.7cm

5章

埋められた祈り

56億７０００万年後のために

上杉研究員のおかげでお経のことが少しわかった気がするリン！

宮川研究員（以下 宮川）　お、トラりん。どうしたの？

宮川研究員、こんにちリン！　さっきね、上杉研究員からお経について教えてもらったところなんだ♪

宮川　お経かあ。トラりんは経塚《きょうづか》って知ってる？

キョーヅカ？　聞いたことないリン☆　どんなものなの？

宮川　経塚っていうのはお経が書かれた経巻を地中に埋めた塚のことだよ。

お経を埋めるの？　お経って仏さまのありがたい教えが書かれたものじゃないの？　それを地面に埋めちゃうの？

宮川　それはね、末法《まっぽう》思想と関わりがあるんだけれど、トラりんは知ってる？

知らないリン！　教えてー☆

宮川　末法思想というのは、釈迦《しゃか》が亡くなった後、だんだんと仏教の教えが廃《すた》れていくという思想で、平安時代の中頃の永承7年（１０５２）からはじまるとされていたんだ。だから、貴族や僧侶たちは末法がはじまる前に、筆写したお経を地中に埋めて保存しようと考えたんだよ。ちなみに、保存期間はなんと56億７０００万年（笑）。

え、え、え、いまなんて言ったの？　56億って聞こえたけど……

宮川　そうだよ。仏の教えが忘れさられて混乱した世を救うべく弥勒菩薩《みろくぼさつ》が如来《にょらい》となってあらわれるとされる56億７０００万年という遥《はる》か未来に向けて作ったんだ。

経筒を最初に作ったのは藤原道長

宮川　ところで、経塚の中には石造りの小さな部屋があり、その中にやきものの甕《かめ》もあるんだけれど、甕の中には金属性の経筒《きょうづつ》が、その外には鏡や硯《すずり》、中国製の陶磁器などが置かれているんだ。

キョーヅツ?

宮川　お経を入れておく筒状の容器だよ。

金銅藤原道長経筒《こんどうふじわらのみちながきょうづつ》

国宝「金銅藤原道長経筒」　奈良・金峯神社蔵
平安時代・寛弘4年(1007)
銅鍛造・鍍金　高36.4cm　径15.3cm

そうそう、これを見て。

思ったより大きいリン！

宮川　これはね、藤原道長《ふじわらのみちなが》という平安時代を代表する貴族が奈良の吉野にある、現在で言うと山上《さんじょう》ヶ岳《がたけ》、むかしの名前で言うと金《きん》峯山《ぶせん》に登って埋めたものなんだ。

埋めるために自分も山に登ったの?!

宮川　そうなんだ。でね、この経筒のおもしろいところは「寛弘《かんこう》四年八月十一日」って日付が刻まれてあることなんだ。現在のところ、埋められた時期がわかる現存最古の経筒になるんだよ。

きれいに見えるけれど、埋められてからどれくらい経っているの？

宮川　寛弘４年は西暦になおすと１００７年だから、約１０００年前のものになるね。

１０００年……。

宮川　それでね、この寛弘４年の道長の金峯山参詣《さんけい》はもちろん私的な行事なんだけれど、当時最大の権力者のことだから、「道長さまはいないけれど、どこに行ったんだ？」「金峯山へ行ったらしいよ」「何をしに？」「お経を埋めに行ったらしいよ」という具合に平安京中のみんなが知るところとなったんだ。あくまで想像だけどね（笑）。

それと、今でこそ仏具屋さんに行けば経筒は買えるかもしれないけれど、その頃は売ってない。じゃあ、どうするかというと、職人に新しく作らせるわけ。

オーダーメイド☆

宮川　筒の底に「伴延助《ともののぶすけ》」と作者の名前が書かれてあるんだ。この延助さんは当時の貴族の日記にも名前が出てくるんだけれど、貴族の邸宅《ていたく》に出入りしていた、牛車《ぎっしゃ》の金具を作る腕の良い金物職人なんだよ。

車屋さんのオーダーメイド☆

宮川　先例がなかったから依頼された職人も困っただろうけれど、「お経を入れて埋める」という用途に沿うように、とりあえず銅板を叩いて継ぎ合わせて筒状のものを作ったんだね。そして、出来あがった筒の側面に、願文《がんもん》が一行に22か23字、それが24行にわたって刻《きざ》み込

金銅藤原道長経筒
経筒底面（上）と底面拓本

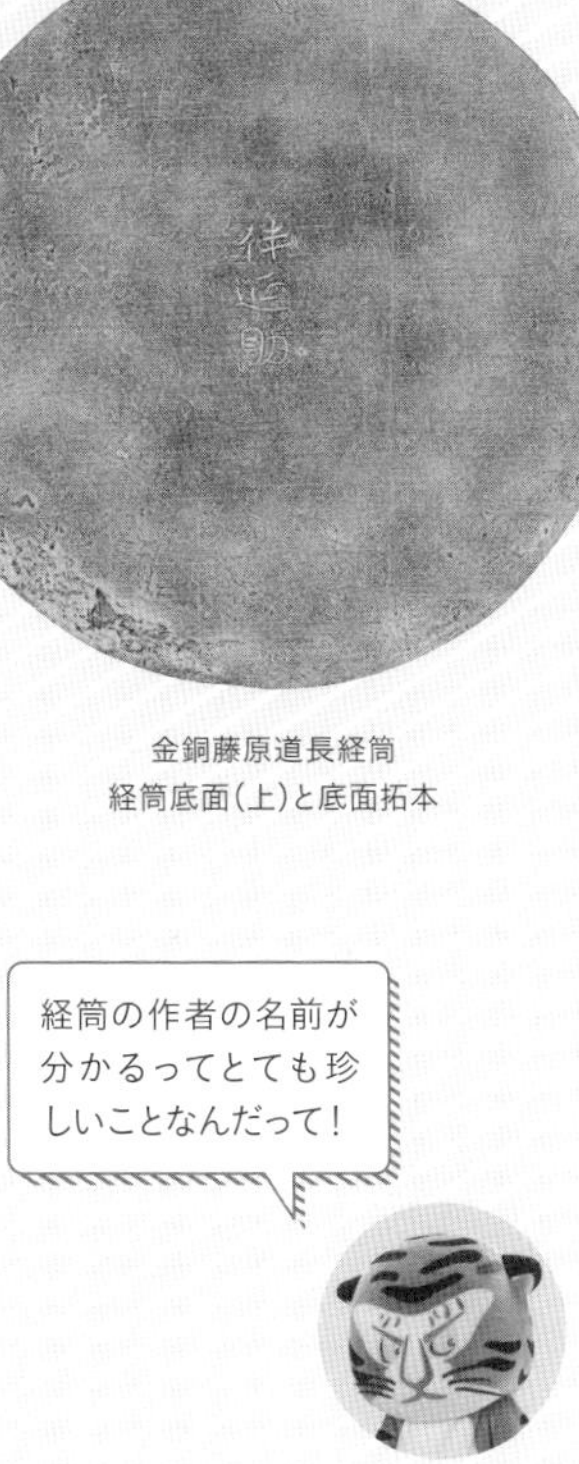

紺紙金字法華経等残闕《こんしきんじほけきょうとうざんけつ》

重文「紺紙金字法華経等残闕」
奈良・金峯神社蔵
巻第四残闕
平安時代　長徳4年(998)
縦13.5～13.8㎝　横872.0㎝

自筆の日記の文字はちょっと乱雑だけど、このお経の文字は丁寧なので、道長さまは真面目な人だと思うよ！

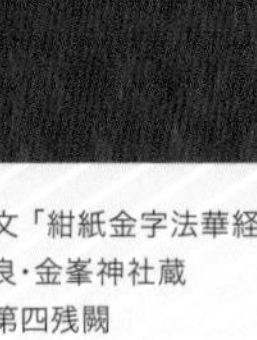

埋納経

まれているんだ。優美な和様《わよう》の筆運びで刻まれた文字の総数は約500字もあるんだ。

しかも、道長は、『御堂関白記《みどうかんぱくき》』という日記にこの経筒を埋めた際のことを自筆で書き記しているんだ。「なぜ、こういうことをしたのか」ってことが書かれているから貴重なんだよ。

1000年も前の日記が残っているの?

宮川　道長以前からお経を埋めるということは行われていたと推測されるけれど、道長以降、盛んに行われるようになっていくんだ。道長が生きた当時は末法のはじまりが迫ってきた時代で、篤《あつ》い信仰心をもっていればもっているほど、お経を書いて埋めたくなる時代だったんだよ。

末法の世界がくるのが本当に怖かったんだね。

宮川　そうだよ。それでね、この経筒に入っていたと思われるお経も残っているんだ。

紺《こん》色の紙に金で字が書かれているね。上杉研究員に教えてもらったお経に似ているリン!

宮川　法華経《ほけきょう》が書かれているんだけれど、残念ながら水分が染みこんだ影響で下の部分なんかが腐《くさ》ってなくなってしまっているんだ。紺(藍)に染めた紙を使うっていうのは信仰的な意味もあるのかもしれないけれど、藍《あい》に染めると虫に喰《く》われにくいという実用性もあったんだよ。

そうそう、お経を遥か未来まで残そうという考えでいえば、瓦経《がきょう》というものもあってね。

瓦経?

宮川　粘土板《ねんどばん》の表面にお経を篦《へら》で刻んで素焼きしたものだよ。やきものだから紙よりも耐久性《たいきゅうせい》にすぐれているという特性から作られたんだよ。紙だと燃えたり、破れたりする危険があるけれど、やきものだと大丈夫だっていう考えなんだね。

古墳の中には鏡がいっぱい

宮川　お経以外にも信仰に関するものは古くから埋蔵されてきたんだけど、それについては古谷《ふるや》研究員に教えてもらおうか。

うん！　古谷研究員どうぞよろしくリン♪

古谷研究員（以下 古谷）　トラりん、PR大使の仕事のために頑張って勉強してるんだってね。えらいね。

褒《ほ》められると照れるリン☆　でもね、お話を聞いていると、どんどん興味がわいてくるんだ！

古谷　そっか。じゃあ、早速、勉強していこうか。

古墳《こふん》に納められている遺物で多いものとしては鏡が挙《あ》げられるね。京博にも愛知県犬《いぬ》山《やま》市の東之宮《ひがしのみや》古墳から出土した鏡があるよ。東之宮古墳からは獣文鏡《じゅうもんきょう》や三角縁複波文帯《さんかくぶちふくはもんたい》三神三獣鏡《さんしんさんじゅうきょう》を中心とした11枚もの鏡が出土《しゅつど》したんだ。

鏡かぁ☆　どれくらいの大きさなの？

古谷　いろいろあるけれど、直径が15センチくらいから20センチくらいかな。もともとは

祭祀遺物

獣文鏡の表現方法は特殊なんだよ。

おもしろい絵が描かれているリン☆

重文「東之宮古墳　獣文鏡」 古墳時代　径16.3cm

重文「三角縁複波文帯三神三獣鏡」
古墳時代　径21.3cm

化粧用の道具だったと思うよ。
その後、シャーマンという神さまの代弁者《だいべんしゃ》が用いるようになっていくんだ。鏡は日の光を反射させるでしょ。つまり、光をコントロールできるってことなんだけれど、それが信仰に繋がったのかもしれないね。

だから鏡が選ばれていたんだね☆

古谷　鏡は、あくまで光る方が表で、模様が描かれている方が裏なんだけれども、日本人は、裏の模様の方にはあまり関心がなかったみたいなんだ。

えぇ！　こんなに美しいのにもったいないリン！

古谷　中国の鏡の模様を写したと思われる日本製の鏡はわりと適当に描かれているんだ。漢字の部分なんかも略《りゃく》して丸印であったり。それに比べて日本的な模様に関しては一所懸命に描いているよ。また、鏡本体部分の出来ぐあいもすごく高い技術で造られている。

「使うこと」が大事だったんだね☆

古谷　そうだね、信仰に繋がる実用的な部分が大事だったんだね。

祭祀遺物

神マツリの主役?を果たした子持ちの勾玉

古谷　それと、古代のものといえば、発掘されたものは少ないけれど、「子持ち勾玉《まがたま》」っていうものがあるんだ。

親子の勾玉があるの?!

古谷　勾玉っていうのは聞いたことがあると思うけれど、昔の装身具の一つで、神マツリに用いるアイテムでもあったんだ。5世紀頃になると神マツリに使う特別な勾玉があらわれてくる。

特別……ってどんな?（ごくリン）

古谷　普通のものより大きいんだよ。その大きな勾玉の周りに小さな勾玉をたくさんつけているので子持ち勾玉と呼ばれているよ。6世紀から7世紀にかけて発達するんだ。

そういうことか☆　かわいい名前だリン♪

古谷　京都の近くだと奈良県の三輪山《みわさん》の周辺に多いんだよ。でもね、古墳に埋葬されるのは装身具としての小さな勾玉で、子持ち勾玉は古墳からは滅多《めった》に出てこないんだ。

え!　じゃあ、どこにあるの?

古谷　当時、川だったところに埋ってたりするんだよ。

んん?!　どうして川にあるんだろう……。

古谷　子持ち勾玉は神マツリの時に、神社や御神体と呼ばれる磐座《いわくら》などの周りで使われたと推測されるんだ。聖域《せいいき》とか禁足地《きんそくち》と呼ばれる場所があるけれど、その神聖な場所には足を踏み入れないというのが当時の社会の守らなければならないルールだったんだ。そのような場所で使われたんじゃないかな。

そうだったんだ!　ボクも神さまへのお願いに使ってみようかなあ☆

宮川研究員、古谷研究員、いろいろ教えてくれてありがとリン♪

埋納経を
もっと知ろう！

Q1 経塚ってどんなもの？

経塚とは、お経を納入して埋めた塚のことです。京都市周辺では数多く作られ、中世以前に仏教文化が広がった地域では全国的にみられます。

塚の下には小さな石造りの部屋があり、その中には甕《かめ》などが収められています。甕の中にはお経が入れられた経筒が入っていて、鏡や硯《すずり》、中国製の陶磁器が入っている場合もあります。

経筒に納めるお経は「法華《ほけ》経開結共《きょうかいけつとも》」10巻が圧倒的に多く、「阿弥陀経《あみだきょう》」や「般若心《はんにゃしん》経《ぎょう》」、密教経典の「大日経《だいにちきょう》」も埋納《まいのう》されました。経塚が盛んに営《いとな》まれた平安時代では法華経を最上《さいじょう》の教典とする考えがあったからです。ちなみに、経塚に納められたお経を「埋納経」と呼びます。

「青白磁小壺・合子」
鞍馬寺経塚出土品　平安時代

「陶製外容器」
鞍馬寺経塚出土品　平安時代

「銅鏡」
鞍馬寺経塚出土品　平安時代

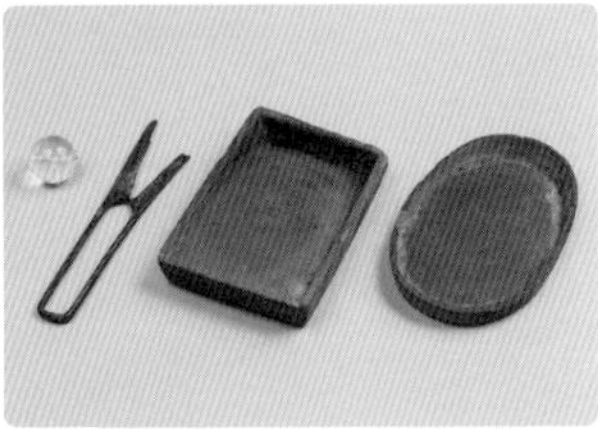

「石硯・鋏・念珠親玉」
鞍馬寺経塚出土品　平安時代

Q2 経筒はどんな形なの？

金峯山に埋められた藤原道長の経筒のように、基本的には胴部分は筒状ですが、それ以外の形状や材質はさまざまです。

たとえば、京都市の花背《はなせ》別所《べっしょ》経塚群で発見された経筒は、鋳銅《ちゅうどう》製で、蓋には宝珠《ほうじゅ》状の摘《つま》みがついていますが、この形状が典型的です。

また、土製の経筒もあり、京都国立博物館所蔵の「仏像陽刻土製経筒」は、筒表面の2か所に、焼成《しょうせい》前に型で押した同形の阿弥陀如来坐像があらわされています。

このほか、北部九州の特に大宰府《だざいふ》（福岡県）を中心に制作されたものに、筒身の部分を2段から5段に分けて積み上げた「積上《つみあげ》式」の経筒があるなど、地域によってさまざまな形状がみられます。

土をこねて筒の形にしている？ 絵も見えるけど……。

仏さまのすがたがスタンプで押して表現されてる。超珍しい経筒だね。

「仏像陽刻土製経筒」 平安時代 総高33.5cm 筒口径14.0cm

「土師器・須恵器・石製品」　土師器高杯　口径18.0cm　古墳時代中期（5世紀頃）

祭祀遺物《さいしいぶつ》

『延喜式《えんぎしき》』にも見える丹後《たんご》国の古社・大宮《おおみや》賣《め》神社（京都府京丹後市）の境内《けいだい》から出土した祭祀遺物。遺物には粗製土師器《そせいはじき》や少量の須恵器《すえき》、滑石《かっせき》製の勾玉・小型勾玉・剣形品・有孔円板《ゆうこうえんばん》、臼玉《うすだま》、碧玉《へきぎょく》製の管玉《くだたま》、瑪瑙《めのう》製の勾玉が含まれる。

ミニチュア土器と玉類は、古墳時代の神マツリの道具としてはポピュラーなもの。5～6世紀に、山岳祭祀では山麓《さんろく》や峠、海洋祭祀では離島や岬の遺跡で使用されたもので、稀《まれ》に小型鏡などの金属器を伴うこともあり、集落周辺でも出土する例もある。

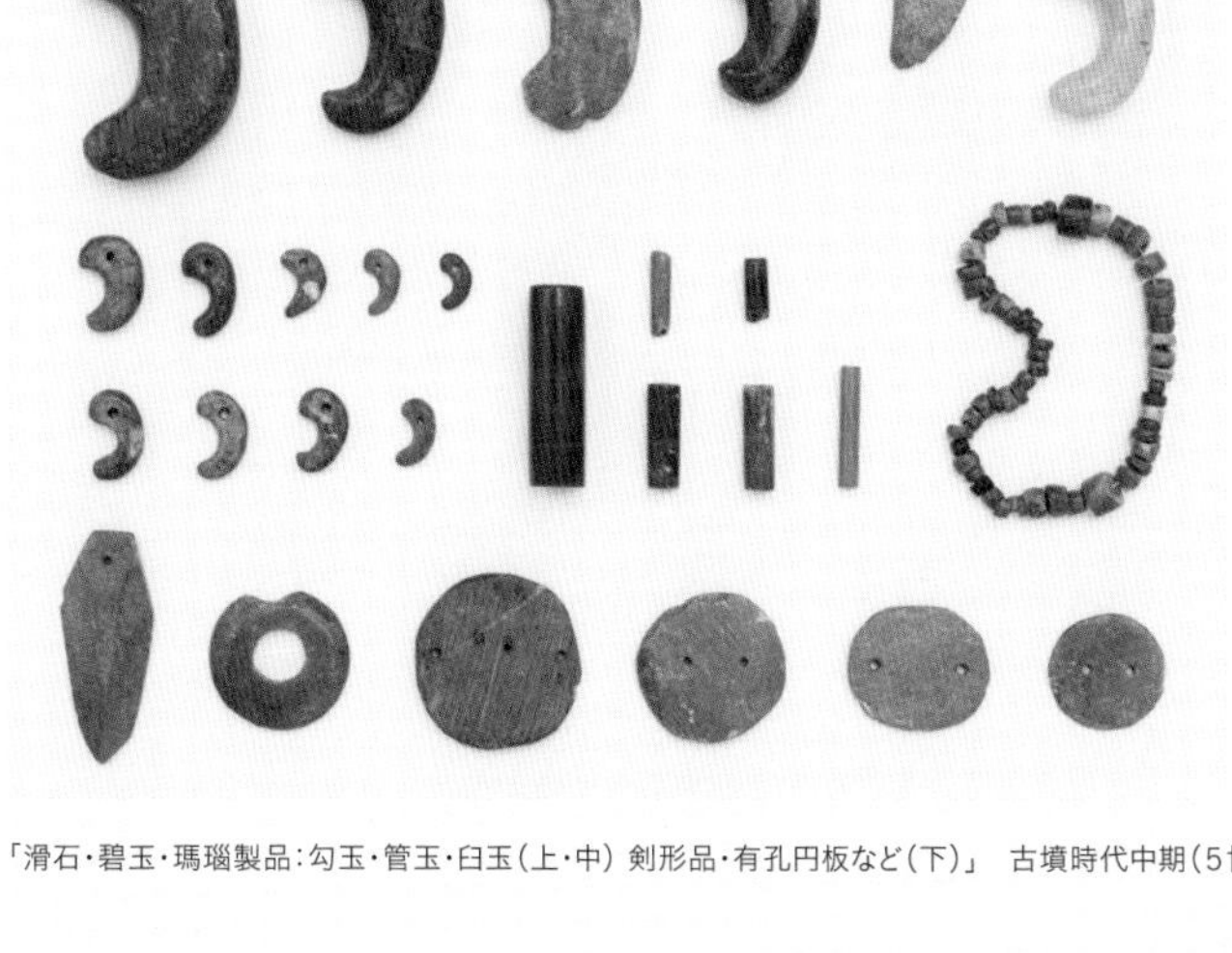

ミニチュア土器と
玉類は神マツリ
の道具としては
ポピュラーなん
だって☆

「滑石・碧玉・瑪瑙製品：勾玉・管玉・臼玉（上・中） 剣形品・有孔円板など（下）」　古墳時代中期（5世紀頃）

4コマ漫画 いつの間にか…

京博をもっと知ろう！②

京博での文化財修理

※各巻の巻末特集では京博のさまざまな取り組みを紹介します。

文化財保存修理所のあゆみ

トラりん　今回も日本の美術についてたくさん知ることができたリン♪　見せてもらった作品は長いあいだみんなが守り、伝えてきたものなんだね！　そういえば、1巻の「京博のあゆみ」の中で京博では文化財の修理もしているって教えてもらったけど、一体どこで行われているんだろう？

あ！　文化財保存修理所って書いてあるリン!!　ここだー☆

ボクも修理の現場を見てみたいリン……いざ中に！

大原研究員（以下 大原）　おや？　トラりん、そこで何をしているのかな？

トラりん　わーーー!!　びっくりしたリン！

お、大原研究員！　ここで文化財の修理をしてるって聞いたから、見てみたくて来ちゃったリン……☆

大原　トラりん、驚かせてごめん。たしかに、ここではいろいろな文化財の修理をしているよ。だけど、限られたひとしか修理の現場には入っちゃいけないんだ。

トラりん　トラでもやっぱりだめ……？　そういえば「文化財の総合病院」だって聞いたリン☆

大原　その通り。この修理現場は手術室のようなもので、文化財が一番脆弱《ぜいじゃく》な状態で保管されているんだ。だから中は見せられないけど、いっしょに京博での文化財の修理について勉強しようか！

トラりん　やったー☆　知りたいリン！　ボク、1巻で京博の歴史や意義についてしっかり学んだから、この修理所もその一部であることは知っているリン♪

大原　さすがだね。この文化財保存修理所は文化財の修理産業を健全に育成して守っていく目的のもと、京博の付属機関として昭和55年（１９８０）に設立されたんだ。

トラりん　ということは、２０２０年で40年目を迎えるんだね！　修理所では何を修理しているの？

大原　修理所では彫刻や書画、染織《せんしょく》などを扱っているよ。そのほとんどが国宝や重要文化財などの「指定文化財」で、それらを直す専用の場所でもあるんだ。だから、京博所蔵のものだけが修理の対象ではないというわけ。
全国にある価値のある文化財の修理はしっかりした管理のもと、高度な技術を用いて行われているんだ。

修理の進め方

トラりん　修理ってどんなふうに行われているの？

大原　近代の文化財の修理は百年の歴史があるけど、その中で基本的な原則ができあがってきたんだ。
第一に、文化財に負担をかけないことが大前提。そして、今の日本では「オリジナルを残す修理」を基本にしているよ。

たとえば仏像の場合、つくられた当初のまま残っている部分の上に新しく色をつけたり、金箔を貼ったりはしない。でも、過去の修理で色がつけられたり、追加で部材がくっつけられたりしていたら、その部分を除去して手を加えることもあるよ。

トラりん　なるほど☆　どうやって修理するかは、どんなふうに決めるの？

大原　修理をすることが決まったら、指定品であれば文化庁などの行政関係者、修理者、所有者の三者がそれぞれの観点から意見を述べ、話し合っていくんだ。そのために、修理対象の現状調査をして、どこを怪我していて、どう直すかを入念に話し合っていくよ。場合によっては、専門家の意見として学芸員などが携わることもあるね。

トラりん　修理って人目につかないけれど、たくさんのひとが関わっているんだね！　実際に修理をしてるのは京博のひとなの？

大原　ううん。京博の職員ではないけれど、その道の一流の技術をもったエキスパートが担当しているよ。京博は修理の場所を修理技術者の人たちに提供しているんだ。今回は、熱心なトラりんのために特別ゲストを2人お招きしたから、直接インタビューしてみるんだ！

トラりん　イ、インタビュー?!　き、緊張するけど……楽しみだリン！

彫刻の修理
——修理だけが仕事じゃない——

トラりん　はじめまして、トラりんだリン！　文化財の修理についてお話を聞かせてほしいリン♪

陰山《かげやま》所長（以下　陰山）　はじめまして。トラりんからたくさんの人びとに伝えてもらえると嬉しいな。私は仏像などの彫刻を修理している美術院の陰山です。文化財の修理の内容や意義について、トラりんからたくさんの人びとに伝えてもらえると嬉しいな。

トラりん　がんばるリン!!　では早速☆　彫刻の修理ってどんなことをしているの？

陰山　彫刻の中でも仏像の修理が多いけど、木や石、土などの素材によって修理のパターンもいろいろなんだ。たとえば、木なら虫喰い部分の補修だったり、石なら表面の劣化部分を強化したり、彩色の絵の具や金箔が剥《は》がれないように剥落止《はくらくど》めをしたり……とかね。

トラりん　ふむふむ☆　中身の修理はしないの？

陰山　修理には大きく2つあって、1つは剥落止めのような表面修理で、もう1つは部材を全部分解して組み直す解体修理。後者の修理は国宝や重文クラスの文化財ではすでに施しているものが多いから、京博ではいまは少ないかもしれないね。

トラりん　仏像の中に何か入っていそうで気になるリン……

陰山　内部の調査をするけど、墨書があったり、文書などの納入品が入っていたり、新しい発見があるからとても面白いよ。調査や修理の過程で過去の修理の痕跡や歴史的価値をどれだけ探せるかということも大事で、修理をするときにしかわからないことがたくさんあるんだ。それらを探す目を養っていかなければ、やみくもに修理はできないんだよね。

トラりん　なるほど！　修理した痕跡って見てわかるものなの？

上／重文 木造文殊菩薩騎獅像（文化庁保管）の剥落止め作業　下／同像の蓮華座の剥落止め作業
写真提供／公益財団法人 美術院

陰山　仏像なんかは外気にさらされることも多くて保存環境が苛《か》酷《こく》なことが多いから、定期的に修理が必要になるんだ。時間の経過で過去の修理部分が劣化していて見た目で気づくこともあるけど、仏像の技法や構造を理解したうえで、多くの修理を経験していないとわからないこともたくさんあるよ。私たち美術院では「記録をつけること」も大切にしているんだ。

トラりん　記録？　どんな記録をしているリン??

陰山　仏像の前と後ろから見た図を描いて、新しく修理したところを色分けしてあらわしたり、修理前、修理後の写真を撮って文章で細かくまとめてどんな材料でどのような修理をしたのかを報告書にしているよ。

トラりん　記録はいつから続けているの？

陰山　美術院は創立当初の明治時代から記録を残しているけど、当時はとても画期的なことだったみたい。この記録が研究や次に修理をするときにとても役に立つんだよ。私たちもこの伝統を受け継いでいくよ。

トラりん　まさに文化財を守り、つなげるリレーだリン！

陰山　そうだね。私たちの仕事は「傷《いた》んだところを修理する」だけではないことをわかってくれたかな？

トラりん　もちろんだリン☆　陰山所長、ありがとリン♪

左が美術院の陰山所長、右が光影堂の大菅社長

美術院

- 国宝・重要文化財に指定されている木彫（仏像・神像など）の修理ではそのほとんどを手がけ、地方自治体指定や未指定の文化財修理にも携わる。

光影堂

- 文化財修理を専門的に行う「国宝修理装潢師連盟」の一員として、紙や絹などに描かれた絵画、書跡、古文書等の美術工芸品の修理を行う。

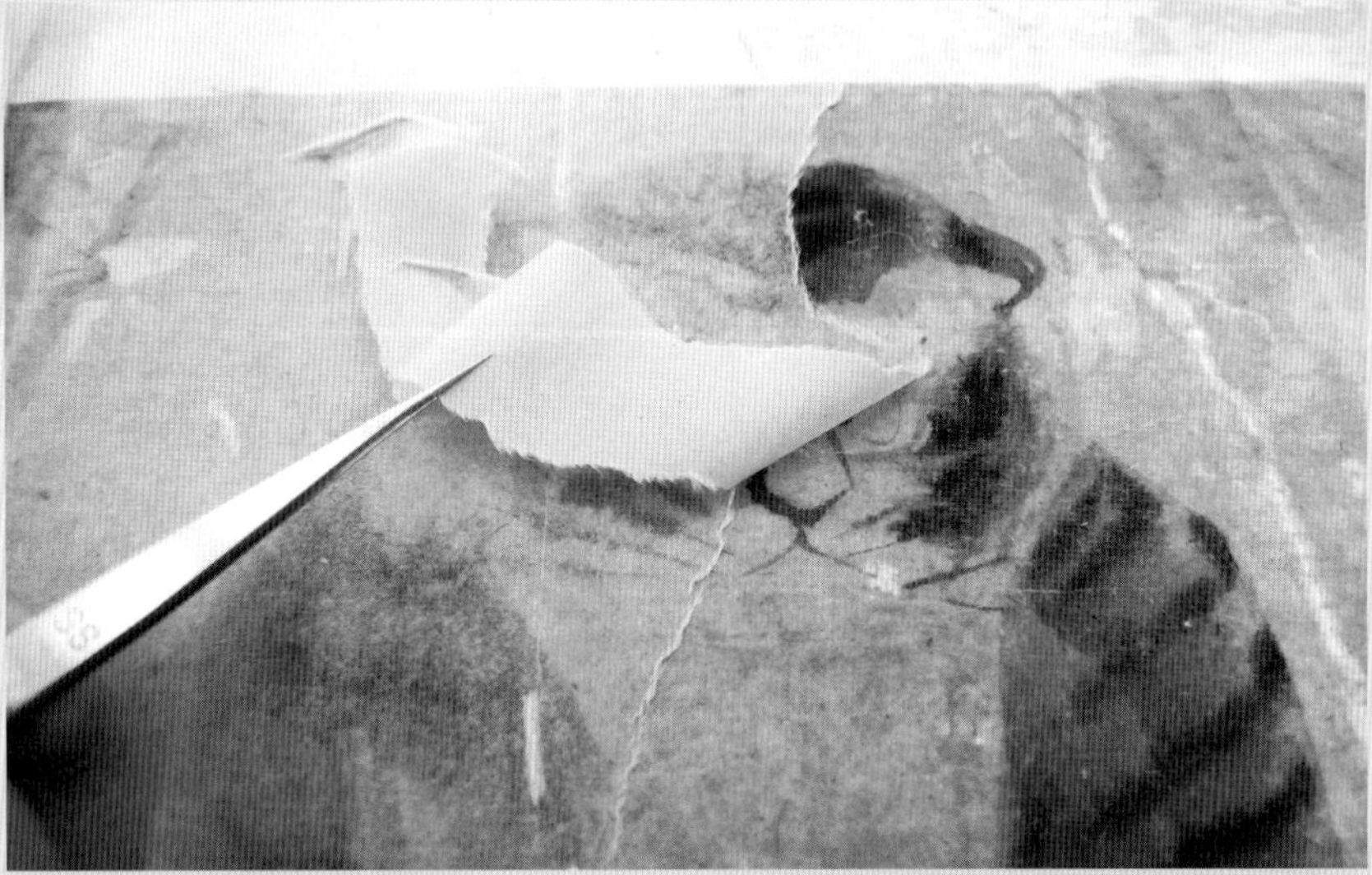

上 ／旧裏打ち紙の除去作業。本紙を裏返して慎重に剥がしていく　下右／補彩作業。本紙に絵具が付着しないように補修紙のみに色をのせる　下 左 ／肌裏紙を打つ作業。シワができないよう刷毛でなでるように接着させる

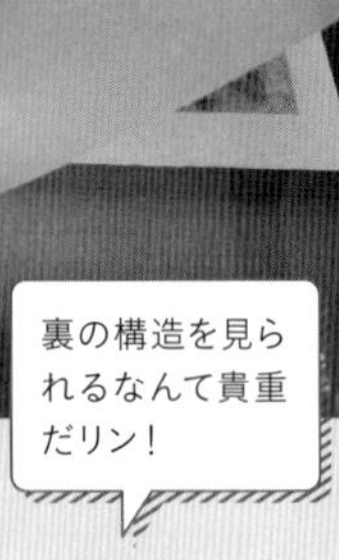

絵画の修理
—トラりん、自分が描かれた絵画と対面—

大菅《おおすが》社長（以下 大菅） やぁ、トラりん。修理所で仕事をしている会社のひとつ、光影堂の大菅です。私からは紙や絹に描かれた絵画の修理についてお話しするね。

トラりん 大菅社長！ よろしくリン♪ じつはボク、光影堂りんにはすごーーくお世話になったって聞いているリン！

大菅 ふふふ。それは、私たちがトラりんが描かれた「竹虎図」を修理したからだね！

トラりん えーーーっ！ 知らなかったリン!! その節はありがとリン♪

大菅 いえいえ。せっかくだから、「竹虎図」を例に絵画の修理について勉強していこう。

トラりん うれしいリン♪ では改めて、絵画の修理ってどんなことをするの？

大菅 工程についてざっくり説明すると、「本紙（絵が描かれた紙や絹《きぬ》）と周りの裂《きれ》を取り外す→丁寧なクリーニング→旧裏打ち紙の除去→補修→裏打ち→補彩→乾燥→仕上げ」という流れだよ。もちろん、作業に取りかかる前には入念な現状調査や成分分析をしたうえで、絵の具や墨が絶対に落ちないように気をつけているんだ。

トラりん とっても興味深いリン！ もっと具体的に教えて？

大菅 クリーニングでは本紙に付着した空気中の埃《ほこり》や煙の煤《すす》などを落とすために、きれいな水を霧吹《きりふ》きで吹きかける。すると、下に敷いた紙に汚れが吸い取られるよ。

トラりん すごい技術だリン☆

大菅 次に、むかし施《ほどこ》された裏打ち紙を除去するよ。裏打ち紙というのは、本紙の裏に貼っている補強のための紙のことで、掛軸《かけじく》には、何種類もの裏打ちが施されているよ。本紙の裏に直接打たれる裏打ち紙を「肌裏紙」といってね、繊細な紙や絹をしっかり支える大切な役割を果たしているんだ。他にもいくつかの裏打ちを施して、いちばん最後に打つ「総裏紙」は掛軸にしたときの巻き解きをスムーズにする役割をしているよ。

これらの裏打ち紙を、水を使って糊《のり》をゆるませながら、慎重に取り除いていくんだ。

トラりん　ボクのことを裏から支えてくれていたんだね☆　裏打ち紙の世代交代だリン！

大菅　そうだね。裏打ち紙は経年劣化でどうしても弱くなって、折れや亀裂《きれつ》の原因になるからね。裏打ち紙を取り除いて本紙だけの状態になったら、虫喰いがあった箇所には本紙の素材に合った紙や絹を虫喰いの形どおりにはめ込むよ。そして、新しい裏打ち紙を打っていくんだ。補修した箇所はそのままでは白く目立ってしまうから、本紙に合わせた自然な色で違和感がないように色をつけていくよ（補彩《ほさい》）。

トラりん　気が抜けない作業だね！　見ているだけでも緊張するリン☆

大菅　補彩の後はいよいよ組み立て。本紙と裂を繋げたら全体に裏打ち紙を打って、しっかり乾かしてから軸首や紐などを取り付けて完成！

トラりん　おおー！　ビフォーとアフターを比べると違いがわかるね！　ボク、とっても男前☆

大菅　トラりん本人に喜んでもらえて嬉しいな。たくさんのひとが時間をかけて頑張ってきた甲斐があるよ。

トラりん　こんなに細かくて根気のいるおしごととは知らなかったリン！

大菅　修理の仕事は失敗ができないし貴重な文化財を守る責任があるもの。絵画でも古文書でも、いつの時代も「文化財を傷めないように」と思いながら、自然の素材と経験と知恵を組み合わせて修理をしてきたんだ。傷みが発生する原因を取り除き、安全な形で将来に橋渡しをすることが修理の大きな目標だよ。

トラりん　修理をしてくれるひとがいたから、ボクも、みんなに出会うことができたリン！　大菅社長、

修理前。シワや黄ばんだ汚れが目立つ

修理後。シワや汚れがなくなり、墨が映える仕上がりに
102頁、105頁の写真提供／株式会社 光影堂

ありがとリン♪

大菅　どういたしまして。またいつか修理してあげるね。

修理の重要性

大原　おかえり、トラりん。現場の声をきいてみてどうだったかな？

トラりん　身近に文化財のためにがんばってくれているひとがいることがわかって本当によかったリン♪

大原　それは何よりだ。「修理」という行為は縄文時代からあったといわれるくらい歴史があるんだ。文化財に過去の修理の痕跡があるということは「次の時代へ伝えたい」と思われたという証拠。トラりんも大事にされてきたんだよ。

トラりん　いま、たくさんのおともだちに作品を楽しんでもらえるのも、文化財を修理してくれたひとたちのおかげだリン！　京博ＰＲ大使として修理の大切さをもっと伝えていきたいリン♪

トラりんの絵日記

3月12日（木）天気

2巻目のテーマは「神仏への祈り」。神や仏への祈りが生み出した美術を学んだリン！

山川研究員と永島研究員には、神宝について教えてもらったよ♪　衣服や靴、化粧道具やつけ毛まで奉納するなんて、びっくリン！　むかしは神さまもひとと同じ生活をしていると考えられていたんだね☆

淺湫研究員と伊藤AFは仏像の見方をわかりやすく教えてくれたリン♪　ファッションをよく見るといろんな種類や意味があって、とっても面白いね☆　展示室に行くのが楽しみになったリン！

トラりんの絵日記

3月14日（土）天気

3章では大原研究員が、仏画が「どうしてすばらしいのか」を情熱的に教えてくれたリン♪　仏画をより楽しめるように、仏教の教えや絵画の技法について、もっと知りたいと思ったリン！　がんばらなくちゃ☆

いつも優しい上杉研究員は仏典を教えてくれたリン♪　仏典には仏の大切な教えが書かれているから、美しく装飾されたんだね☆　教えを伝えようとするひとや文字を書くひとの、真剣な想いが感じられたリン！

トラりんの絵日記

3月16日（月）天気

宮川研究員には経塚の中に埋められた経筒☆　古谷研究員には古代の人たちの神さまへの想いが込められた銅鏡について教わったリン☆　祈りは古くからあること、いろんなかたちがあることがわかったリン！

陰山所長と大菅社長は文化財の修理について教えてくれたリン☆　博物館で作品を見ることができるのは、丁寧に時間をかけて直してくれるひとがいるからなんだね！

3巻ではどんな研究員や作品と出会えるんだろう……。今からとってもわくわくだリン♪

研究員紹介

今回お話を聞かせて
くれた研究員たち☆
みんなありがとリン♪

山川 曉《やまかわ あき》

企画室長兼工芸室長。専門は日本および東洋の染織史。お茶の水女子大学、神戸大学で学ぶ。博士（人文科学）。徳川美術館学芸員を経て、2001 年から京都国立博物館染織担当研究員として勤務。2018 年より現職。

主要著作に『高僧と袈裟　ころもを伝えこころを繋ぐ』（京都国立博物館、2010 年。第 23 回国華賞受賞）、『中近世染織品の基礎的研究』（中央公論美術出版、2015 年）など。

永島 明子《ながしま めいこ》

教育室長兼工芸室勤務。専門は漆工芸史。国際基督教大学、ロンドン大学、京都大学で学ぶ。京都大学博士（人間・環境学）。1999 年より京都国立博物館勤務。2017 年より現職。

主要著作に『japan　蒔絵―宮殿を飾る　東洋の燦めき―』（読売新聞大阪本社、2008 年）、『百獣の楽園―美術にすむ動物たち―』（京都国立博物館、2011 年）、『遊び』（京都国立博物館、2013 年）など。

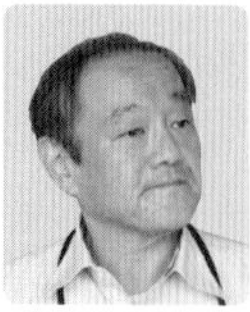

淺湫 毅《あさぬま たけし》

連携協力室長。専門は仏像。早稲田大学大学院文学研究科博士後期課程単位取得後退学。1992 年、東京国立博物館へ採用、1998 年より京都国立博物館へ。2014 年より２年間、東京国立博物館に再び勤務したのち、2016 年に京都国立博物館へ戻る。祇園祭山鉾装飾品等審議会専門委員、静岡市文化財審議委員なども兼ねる。

主要著作に『庭園散策ガイド』（京都国立博物館、2009 年）、『国宝　一遍聖絵と時宗の名宝』（分担執筆、京都国立博物館、2019 年）など。

大原 嘉豊　おおはら よしとよ

保存修理指導室長。専門は東洋の仏画。京都大学大学院文学研究科博士課程単位取得退学。博士（文学）。京都大学人文科学研究所助手、京都国立博物館学芸課研究員などを経て、2015 年より現職。

主要著作に『国宝 十二天像と密教法会の世界』(京都国立博物館、2013 年）など。

上杉 智英　うえすぎ ともふさ

美術室研究員。専門は仏教文献学。国際仏教学大学院大学博士課程研究指導認定退学。論文博士（文学）。同大学附置日本古写経研究所主任研究員を経て、2017 年より京都国立博物館勤務。2019 年より現職。

主要著作に共編著『国宝　漢書楊雄伝第五十七』（勉誠出版、2019）など。

宮川 禎一　みやかわ ていいち

上席研究員。専門は東アジアの考古学。京都大学大学院文学研究科修士修了（考古学専攻）。財団法人辰馬考古資料館学芸員を経て、1995 年から京都国立博物館考古室員、2006 年より同館学芸部考古室長、2016 年より現職。

主要著作に『藤原道長―極めた栄華・願った浄土―』（京都国立博物館、2007 年）、『全書簡現代語訳　坂本龍馬からの手紙』（教育評論社、2014 年）など。

古谷 毅　ふるや たけし

考古室主任研究員。考古学を中心に國學院大學で学び、高校勤務の後、東京国立博物館・京都国立博物館で古墳時代の金属器・埴輪・文字資料や考古学史などを研究している。

主要著作に共編著『別冊太陽 古墳時代美術図鑑』（日本のこころ 246）、平凡社、2016 年）など。

伊藤 旭人　いとう あきひと

企画室アソシエイトフェロー。専門は日本彫刻史。花園大学大学院文学研究科修士課程修了。花園大学歴史博物館研究員を経て、2019 年より現職。現在も勉強中。

主要業績に「藤原期の「比叡山仏所」をめぐる試論―大きな鼻をあらわす二軀の尊像を中心に―」『京都学研究と文化史の視座』（芙蓉書房、2019 年）、『東海の名刹 奥山方広寺』展覧会図録（作品解説、花園大学歴史博物館、2019 年）など。

トラりんと学ぶ日本の美術②
神仏への祈り

令和2年3月26日 初版発行

監　修　京都国立博物館
発行者　納屋嘉人
発行所　株式会社 淡交社
本社　〒603-8588 京都市北区堀川通鞍馬口上ル
営業(075)432-5151
編集(075)432-5161
支社　〒162-0061 東京都新宿区市谷柳町39-1
営業(03)5269-7941
編集(03)5269-1691
www.tankosha.co.jp

印刷・製本　株式会社ムーブ

ISBN978-4-473-04362-7